**FOLIO
JUNIOR**

À *Juliet, Hugh, Gabriel, Ros et Tommo*

Titre original : *Shadow*
Édition originale publiée en 2010 par HarperCollins *Children's Books*,
un département de HarperCollins*Publishers* Ltd, Londres, Royaume-Uni
© Michael Morpurgo, 2010
© Éditions Gallimard Jeunesse, 2013, pour la traduction française

Michael Morpurgo

L'histoire d'Aman

Traduit de l'anglais
par Diane Ménard

GALLIMARD JEUNESSE

L'Histoire d'Aman

Nombreux sont ceux qui m'ont amené à écrire *L'Histoire d'Aman*. Tout d'abord, Natasha Walter, Juliet Stevenson, ainsi que tous les gens qui ont participé à l'écriture et à l'interprétation de *Motherland (Patrie)*, la pièce très forte et profondément dérangeante qui a commencé à attirer mon attention sur la situation critique des familles demandeuses d'asile enfermées dans le centre de Yarl's Wood. Ensuite, ce sont deux films remarquables, inoubliables, qui ont inspiré et documenté la partie afghane de cette histoire : *Mir, l'enfant de Bamiyan*, réalisé par Phil Grabsky, et le film de Michael Winterbottom, *In This World (Dans ce monde)*. Tous mes remerciements également à Clare Morpurgo, Jane Feaver, Ann-Janine Murtagh, Nick Lake, Livia Firth, et à bien d'autres pour tout ce qu'ils ont fait.

Michael Morpurgo
Août 2010

Avant-propos

Cette histoire a impliqué la vie de nombreuses personnes, une vie qui s'en est trouvée changée pour toujours. Elle est racontée par trois d'entre elles : Matt, son grand-père, et Aman. Ils étaient là. Ils l'ont vécue. Alors, il vaut mieux les laisser la raconter eux-mêmes, avec leurs propres mots.

Quand les étoiles
commencent à tomber

Matt

Rien de tout cela ne serait arrivé sans l'arbre de grand-mère. C'est sûr. Depuis que grand-mère est morte – il y a environ trois ans maintenant –, grand-père venait toujours passer les vacances d'été à Manchester. Mais cet été-là, il dit qu'il ne pourrait pas venir, car il était inquiet pour l'arbre de grand-mère.

Nous l'avions planté ensemble, avec toute la famille, dans son jardin de Cambridge. C'était un cerisier, car grand-mère aimait particulièrement les fleurs blanches des cerisiers au printemps. Chacun de nous avait fait le tour de l'arbre avec l'arrosoir, versant un peu d'eau, pour qu'il prenne un bon départ.

– Il fait partie de la famille maintenant, avait dit grand-père, et je m'en occuperai toujours comme ça, comme d'un membre de la famille.

C'est pourquoi, il y a quelques semaines, lorsque maman l'appela pour lui demander s'il venait passer l'été à la maison, il répondit qu'il ne pouvait pas à cause de la sécheresse. Il n'avait pas plu depuis un mois, et il craignait que l'arbre de grand-mère meure. Il ne pouvait pas laisser faire une chose pareille. Il devait rester chez lui, pour arroser l'arbre. Maman fit tout ce qu'elle put pour le convaincre.

– Quelqu'un pourrait sûrement l'arroser à ta place, dit-elle.

Mais ses tentatives restèrent vaines. Elle me laissa alors essayer à mon tour, pour voir si je ne pouvais pas faire mieux.

C'est là que grand-père proposa :

– Je ne peux pas venir chez toi, Matt, mais toi, tu pourrais venir chez moi. Apporte ton Monopoly. Apporte ton vélo. Qu'est-ce que tu en penses ?

Voilà comment je me suis retrouvé le premier soir chez grand-père, assis dans le jardin à côté de lui, près de l'arbre de grand-mère, en train de regarder les étoiles. Nous avions arrosé le cerisier, nous avions dîné, donné à manger à Dog, qui était assis à mes pieds, ce qui me plaît toujours énormément.

Dog est le petit springer marron et blanc de grand-père, il est toujours haletant, la langue pendante. Il bave beaucoup, mais il est adorable. C'est moi qui l'ai appelé Dog, d'après ce qu'on raconte, parce que quand j'étais tout petit, grand-père et grand-mère avaient un chat appelé Mog. Il paraît que j'avais choisi ce nom parce que j'aimais le son que formaient Dog et Mog. Ce pauvre chien n'a donc jamais eu de véritable nom, puisque *dog* signifie simplement « chien » en anglais.

Quoi qu'il en soit, grand-père et moi avions joué au Monopoly pour la première fois de l'été, et c'est moi qui avais gagné. Et puis nous avions bavardé et bavardé encore. Mais à présent, nous étions tous deux silencieux depuis un moment, les yeux simplement levés vers les étoiles.

Grand-père se mit à fredonner, puis à chanter :

– *When the stars begin to fall* (« Quand les étoiles commencent à tomber »)… Je n'arrive pas à me rappeler la suite, dit-il. Ça vient d'une chanson que grand-mère adorait. Je sais qu'elle est là-haut, Matt, en ce moment même, et qu'elle nous regarde. Les nuits comme celle-ci, les étoiles semblent si près de nous qu'on pourrait presque tendre la main et les toucher.

J'entendais les larmes dans sa voix. Je ne savais pas quoi dire, alors je restai silencieux pendant un certain temps. Soudain, cette chanson me rappela quelque chose. C'était presque comme un écho dans ma tête.

– Aman m'en a parlé une fois, commençai-je, des étoiles qui sont si proches, je veux dire. Nous étions partis avec l'école pour passer quelques jours dans une ferme du Devon, et nous sommes sortis en douce la nuit, juste tous les deux, pour une promenade de minuit. Il y avait toutes ces étoiles là-haut, des millions et des millions d'étoiles. Nous nous sommes couchés dans un champ pour les contempler. Nous avons vu Orion, le Grand Chariot, et la Voie lactée qui poursuit éternellement son cours. Il a dit qu'il ne s'était jamais senti aussi libre qu'à ce moment-là. Ensuite, il m'a raconté que quand il était petit, en arrivant à Manchester, il avait cru au début que nous n'avions pas du tout d'étoiles en Angleterre. Et c'est vrai, grand-père, on ne peut pas les voir aussi bien chez nous, à Manchester – à cause des réverbères, je pense. En Afghanistan, elles remplissaient tout le ciel, m'a raconté Aman cette nuit-là, et elles semblaient si proches qu'on aurait dit un plafond peint couvert d'étoiles.

– Qui est Aman ? me demanda grand-père.

Je lui avais déjà parlé d'Aman – il l'avait même rencontré une fois ou deux – mais il avait tendance à oublier les choses, ces derniers temps.

– Tu sais bien, grand-père, mon meilleur ami, dis-je. Nous avons tous les deux quatorze ans. Et nous sommes nés le même jour, le 22 avril, moi à Manchester, lui en Afghanistan. Mais ils le renvoient, ils le renvoient en Afghanistan. Il est venu à la maison pendant que tu étais là, j'en suis sûr.

– Oui, je m'en souviens, maintenant. Un petit gars, un grand sourire. Qu'est-ce que tu veux dire par « ils le renvoient » ? De qui parles-tu ?

Je lui racontai donc de nouveau – je suis certain

que je lui avais déjà tout raconté avant – qu'Aman était venu dans notre pays comme demandeur d'asile il y a six ans, qu'il ne parlait pas un mot d'anglais au début, quand il était arrivé à l'école.

– Il a appris très vite, tu sais, grand-père. Aman et moi, on était toujours dans la même classe à l'école primaire, et maintenant aussi, au collège Belmont. Tu as raison, grand-père, il est petit. Mais il court aussi vite que le vent, et au foot, c'est un champion. Il ne parle jamais beaucoup de l'Afghanistan, il dit toujours que c'était une autre vie, et pas une vie dont il a envie de se souvenir. Alors, je ne lui pose pas de questions. Mais quand grand-mère est morte, je me suis aperçu qu'Aman était le seul auquel je pouvais parler. Peut-être parce que je savais que c'était le seul qui comprendrait.

– C'est bien d'avoir un ami comme ça.

– Oui, mais il est dans une espèce de prison, maintenant, avec sa mère, depuis plus de trois semaines. J'étais là quand ils sont venus le prendre, comme s'il était un criminel ou quelque chose du même genre. Ils les gardent enfermés là-bas jusqu'à ce qu'ils les renvoient en Afghanistan. Nous avons écrit des lettres de l'école au Premier Ministre, à la reine, à toutes sortes de gens, pour leur demander de permettre à Aman de rester. Ils n'ont même pas pris la peine de répondre. Et j'ai écrit à Aman aussi, à plusieurs reprises. Il ne m'a répondu qu'une seule fois, juste après son arrivée là-bas, en disant que l'une des choses pires, dans cette sorte de prison, c'est qu'il ne peut plus sortir la nuit regarder les étoiles.

– Tu parles d'une prison, qu'est-ce que tu veux dire exactement ? demanda grand-père.

– Ça s'appelle Yarl's quelque chose, un truc comme ça, dis-je, en essayant de revoir dans ma tête l'adresse à laquelle j'avais écrit à Aman. Yarl's Wood, voilà !

– C'est près d'ici, je sais que c'est dans le coin. Pas loin, en tout cas. Tu pourrais peut-être aller le voir.

– Impossible. Ils ne laissent entrer que les adultes. Nous avons déjà demandé. Maman a téléphoné, et ils ont répondu que c'était interdit. Que j'étais trop jeune. De toute façon, je ne sais même pas s'il y est encore. Comme je te l'ai dit, ça fait un moment qu'il ne m'a pas répondu, maintenant.

Le silence retomba entre grand-père et moi pendant quelque temps. Nous restâmes de nouveau là, en silence, à contempler simplement les étoiles. C'est alors que j'eus une idée. Parfois, je pense que c'est de là que cette idée est venue. Des étoiles.

« Et ils gardent des enfants là-dedans ? »

Matt

Je craignais la façon dont grand-père pourrait réagir, mais je me dis que ça valait quand même la peine d'essayer.

– Grand-père, commençai-je, j'ai pensé à Aman. On pourrait peut-être savoir. Peut-être que tu pourrais téléphoner, ou quelque chose comme ça, et voir s'il est encore là. Et s'il y est, alors tu pourrais y aller, grand-père. Tu pourrais aller voir Aman à ma place, non ?

– Mais je ne le connais presque pas, répondit-il. Qu'est-ce que tu veux que je lui raconte ?

Je vis que l'idée ne lui plaisait pas beaucoup. Je n'insistai donc pas. On ne pouvait pas insister avec grand-père, tout le monde le savait dans la famille. Comme disait souvent maman, il pouvait être un vieux bonhomme têtu, une vraie tête de mule. Je restai donc assis à côté de lui en silence, mais je savais qu'il réfléchissait à la question.

Grand-père n'en reparla pas cette nuit-là, ni au petit déjeuner le lendemain matin. Je pensai que, soit il avait complètement oublié, soit il avait décidé qu'il ne voulait pas y aller. Dans l'un et l'autre cas, je sentais que je ne pouvais pas revenir sur le sujet. Et de toute façon, il me semble à présent que j'avais presque abandonné l'idée moi-même.

Grand-père avait l'habitude quotidienne, par n'importe quel temps, de se lever tôt et d'emmener Dog se promener le long des prairies au bord du fleuve jusqu'à Grantchester – c'était « son petit tour », comme il l'appelait. Je savais qu'il aimait bien que je vienne avec lui quand j'étais là. Je n'avais pas tellement envie de me lever tôt, mais une fois que j'étais dehors, j'adorais ces promenades, surtout les matins brumeux, comme ce jour-là.

Il n'y avait personne dans les environs, en dehors d'un ou deux canots à rames, et de canards, un tas de canards. Il y avait des vaches dans les prés, je devais donc garder Dog en laisse. J'avais du mal à le retenir. Il y avait toujours un terrier de lapin, derrière lequel il devait absolument rester pour l'inspecter, ou une taupinière avec laquelle il devait de toute urgence entretenir des liens d'amitié. Il tirait tout le temps.

– Drôle de coïncidence, quand même, dit soudain grand-père.

– Quoi ? demandai-je.

– Cet endroit, Yarl's Wood, dont nous parlions hier soir. Je crois que ça pourrait être le centre de détention où grand-mère se rendait, il y a longtemps, avant de tomber malade. Ma mémoire n'est plus ce qu'elle était, mais je crois que ça s'appelait Yarl's Wood – c'est probablement pour ça que j'en ai déjà entendu parler. Elle était plus ou moins visiteuse de prison.

– Visiteuse de prison ?

– Oui, répondit grand-père. Elle allait parler aux gens qui s'y trouvaient – tu sais, les demandeurs d'asile, pour leur remonter un peu le moral, parce qu'ils traversaient des périodes difficiles. Elle l'a fait dans un tas de prisons, toute sa vie. Mais elle n'en parlait jamais beaucoup, elle trouvait que c'était trop démoralisant. Une fois par semaine à peu près, elle allait là-bas, pour rendre les gens un peu plus heureux pendant un moment. Elle était comme ça. Elle disait toujours que je devrais y aller, moi aussi, que je saurais bien m'y prendre. Mais je n'ai jamais eu son courage. Ce qui me retenait, c'était l'idée d'être enfermé, je crois, même quand on sait qu'on peut sortir quand on veut. C'est idiot, non ?

– Tu sais ce qu'Aman m'a écrit dans sa lettre, grand-père ? Il m'a raconté qu'il y avait six portes verrouillées et une clôture en fil barbelé entre lui et le monde extérieur. Il les a comptées.

À ce moment précis, nous nous sommes regardés en face, et j'ai compris que grand-père s'était décidé, qu'il ferait ce que je lui avais demandé. Nous ne sommes pas allés jusqu'à Grantchester. Nous avons immédiatement fait demi-tour et nous sommes rentrés à la maison, au grand regret de Dog.

Grand-père avait été journaliste avant de prendre sa retraite, il savait donc comment se renseigner. Dès notre retour à la maison, il décrocha le téléphone. Il apprit que pour rendre visite à Mme Khan et à Aman à Yarl's Wood, il devait faire une demande officielle par écrit. Il fallut attendre quelques jours avant de recevoir la réponse.

La bonne nouvelle était qu'Aman et sa mère étaient toujours là. Les responsables de Yarl's Wood donnèrent l'autorisation à grand-père de venir mercredi, c'est-à-dire deux jours plus tard. Les horaires de visite étaient entre deux heures et cinq heures de l'après-midi. J'écrivis aussitôt à Aman pour lui annoncer que grand-père irait le voir. J'espérais qu'il me répondrait par lettre ou qu'il me téléphonerait. Mais il n'en fut rien, et je ne comprenais vraiment pas pourquoi.

Pendant tout le trajet, je vis que grand-père était plutôt nerveux. Il n'arrêtait pas de répéter qu'il n'aurait jamais dû accepter d'y aller. Dog, assis à l'arrière de la voiture, appuyait sa tête sur l'épaule de grand-père, regardant la route devant lui, comme il en avait l'habitude.

– Je pense que Dog conduirait cette voiture lui-même, si on le laissait faire, dis-je, essayant de réconforter un peu grand-père.

– J'aurais bien voulu que tu puisses entrer avec moi, Matt.

– Moi aussi. Mais tout ira bien, grand-père. Vas-y simplement. Tu aimeras beaucoup Aman. Il se souviendra de toi, je le sais. Et puis tu as pris le Monopoly, non ? Il te battra, c'est sûr. Mais ne t'inquiète pas pour ça. Il bat tout le monde. Demande-lui de m'écrire, d'accord ? Qu'il m'envoie un SMS, ou qu'il me téléphone.

La voiture montait une longue colline abrupte, qui semblait ne conduire nulle part ailleurs qu'au ciel. Ce n'est qu'en arrivant en haut de la côte que nous apparurent la porte, puis le fil barbelé tout autour.

– Et ils gardent des enfants là-dedans ? murmura grand-père.

« On veut que tu reviennes. »

Grand-père

Je laissai Matt et Dog dans la voiture, puis je me dirigeai vers la porte. Je n'étais vraiment pas pressé d'y aller. J'avais cette même sensation au creux de l'estomac que je me rappelais avoir eue à mon premier jour d'école. Un garde chargé de la sécurité ouvrit la porte, l'air maussade. Il allait bien avec l'endroit. Si Matt n'avait pas été en train de me regarder depuis la voiture, ce dont je ne doutais pas, j'aurais fait demi-tour, j'aurais repris la voiture, et je serais rentré chez moi. Mais je ne pouvais pas me couvrir de honte, je ne pouvais pas le laisser tomber.

Je me retournai, et vis que Matt était déjà sorti de la voiture pour emmener Dog se promener, comme il l'avait prévu. Nous échangeâmes un signe de la main, puis je franchis la porte. Je ne pouvais plus revenir en arrière, désormais.

Tandis que je marchais vers le bâtiment du centre de détention, j'essayais de garder mon courage en pensant à Matt. Depuis que j'étais seul, ces deux dernières années, Matt était venu souvent chez moi. J'adorais le voir jouer avec Dog.

Dog devient vieux, comme moi, mais on dirait un chiot quand Matt arrive. Avec lui, il reste jeune, et je reste jeune moi aussi. Il me suffit de penser à eux deux, quand ils sont ensemble, pour que j'aie envie de sourire. Ils me remontent le moral. Et ça me fait du bien. On peut dire que j'ai été au fond du trou, ces derniers temps. Matt et moi, nous ne sommes plus seulement un grand-père et un petit-fils, nous sommes devenus de grands amis.

Pourtant, tout en rejoignant quelques autres visiteurs qui s'apprêtaient, eux aussi, à entrer à l'intérieur, je me demandais à quoi pouvait bien servir cette visite à Aman. Après tout, ces demandeurs d'asile allaient être renvoyés là d'où ils venaient, non ? Alors, à quoi bon ? Qu'est-ce que je pourrais dire qui change les choses ?

Mais Matt voulait que je le fasse pour Aman. C'est pourquoi j'étais là, à l'intérieur, à présent, le jeu de Monopoly sous le bras, tandis que les portes se refermaient derrière moi. J'entendis des enfants pleurer.

Comme tous les autres visiteurs, je dus passer les contrôles. Je dus donner le jeu de Monopoly pour le faire examiner par les agents de la sécurité, et j'eus immédiatement droit à une sévère engueulade pour l'avoir apporté. C'était contre le règlement, prétendirent-ils, enfin, ils laissèrent tomber avec réticence qu'ils me le rendraient peut-être plus tard.

Partout, il y avait d'autres gardiens au même air revêche. La fouille fut faite avec rudesse, dans un silence hostile. Tout, dans cet endroit, me paraissait détestable : le vestiaire sinistre où les visiteurs devaient laisser leurs manteaux et leurs sacs, l'odeur de pensionnat ou d'hospice, le bruit de clés tournant dans les serrures, les tristes fleurs en plastique dans le parloir et, toujours, le bruit d'enfants qui pleuraient.

C'est alors que je les vis, ils étaient les seuls à ne pas avoir encore de visiteur. Je reconnus aussitôt Aman, et je me rendis compte qu'il me reconnaissait, lui aussi, comme me l'avait dit Matt. Aman et sa mère étaient assis là, derrière la table, ils m'attendaient, les yeux levés vers moi, l'air absent. Ils ne souriaient pas. Aucun des deux ne semblait particulièrement heureux de me voir. Tout était trop encadré, trop formel, trop rigide. Comme toutes les autres personnes de la pièce, il fallut s'asseoir de chaque côté de la table, tous deux en face de moi. Il y avait des gardiens partout, dans leurs uniformes noir et blanc, leurs clés pendant à la ceinture, pour nous surveiller.

La mère d'Aman s'assit, la tête enfoncée dans

les épaules, triste et silencieuse, un visage de marbre. Elle avait de profonds cernes noirs sous les yeux, et semblait repliée sur elle-même. Quant à Aman, il était encore plus petit que dans mon souvenir, il avait les traits tirés et était fin et vif comme un lévrier. Ses yeux reflétaient une solitude et un désespoir infinis.

Je n'arrêtais pas de me dire : « N'aie pas pitié d'eux. Ce n'est pas ce qu'ils veulent, ils n'en ont pas besoin, et ils le sentiraient tout de suite. Ce ne sont pas des victimes, ce sont des gens. Essaye de trouver quelque chose de commun avec eux. Suis le conseil que Matt t'a donné dans la voiture : Vas-y simplement. Et prie pour que le Monopoly arrive. »

– Comment va Matt ? demanda Aman.

– Il est resté dehors, répondis-je. Ils ne veulent pas le laisser entrer.

Aman eut un petit sourire en entendant ça :

– C'est drôle, nous voulons sortir, et ils ne nous laissent pas sortir. Il veut entrer, mais ils ne le laissent pas entrer.

J'essayai à plusieurs reprises d'échanger quelques mots avec sa mère. Le problème était qu'elle parlait très peu anglais, et qu'Aman devait toujours traduire pour elle. Il ne s'animait un peu, remarquai-je, que lorsque je parlais de Matt, et même alors, je m'aperçus que c'était toujours moi qui posais les questions. Je pense que si je ne l'avais pas

23

fait, nous serions restés là en silence. Toutes les questions qui ne concernaient pas Matt, Aman les transmettait simplement à sa mère, et me traduisait ses réponses, qui se bornaient la plupart du temps à « oui » ou à « non ». Malgré tous mes efforts, je semblais absolument incapable d'établir une vraie conversation entre nous trois.

Aussi, lorsque Aman se mit soudain à parler de son propre chef, je fus un peu surpris.

— Ma mère ne va pas bien, dit-il. Elle a eu une crise de panique ce matin. Le médecin lui a donné des médicaments, et ça l'endort.

Il parlait très correctement, quasiment sans accent.

— Pourquoi a-t-elle eu une crise de panique ? demandai-je, en regrettant aussitôt ma question.

Elle semblait trop indiscrète, trop personnelle.

— C'est à cause de cet endroit. C'est à force d'être enfermée ici, répondit-il. Elle a déjà été en prison en Afghanistan. Elle n'en parle pas beaucoup. Mais je sais qu'ils l'ont battue. Les policiers. Elle déteste la police. Elle ne supporte pas d'être enfermée ici. Elle fait de mauvais rêves sur la prison en Afghanistan, vous comprenez ? Alors quelquefois, quand elle se réveille ici, qu'elle s'aperçoit qu'elle est de nouveau en prison, qu'elle voit les gardiens, elle a des crises de panique.

C'est alors qu'un gardien arriva brusquement avec le jeu de Monopoly.

– Vous avez de la chance, dit-il. Pour cette fois seulement, compris ?

Et il s'éloigna.

« Pauvre con », pensai-je. Mais je savais qu'il valait mieux que je garde mes sentiments pour moi. Maintenant que j'avais récupéré le jeu, je n'avais pas envie qu'il le reprenne.

– Monopoly, annonçai-je. Matt dit que tu aimes ça, que tu joues bien.

Son visage s'illumina.

– Monopoly ! Regarde, mère, tu te rappelles où nous y avons joué la première fois ?

Puis il se tourna vers moi.

– J'y jouais très souvent avec Matt. Je n'ai jamais perdu. Jamais.

Il ouvrit aussitôt le jeu, disposa toutes les cartes, et se frotta les mains quand il eut fini. Puis il se mit à rire, sans pouvoir s'arrêter.

– Vous avez vu ce qui est écrit ici ? s'écria-t-il, en frappant du doigt le tableau du jeu. Il est écrit : « Allez en prison. » Allez en prison ! C'est vraiment drôle, non ? Si j'atterris là, j'irai en prison, à l'intérieur d'une prison ! Et vous aussi !

Son rire était contagieux, et bientôt nous fûmes tous deux secoués de gloussements presque hystériques.

C'est alors que je vis un autre agent de la sécurité venir vers nous, une femme cette fois, mais pas moins zélée pour autant.

– Vous dérangez les autres. Faites moins de bruit ! ordonna-t-elle. Je ne le répéterai pas. Si vous continuez, je mets fin à la visite, compris ?

Elle était inutilement agressive, et cela me déplut profondément. Cette fois, je n'essayai plus de cacher mes sentiments.

– Alors, on n'a pas le droit de rire, ici ? protestai-je. Les gens peuvent pleurer, mais ils ne peuvent pas rire, c'est ça ?

La gardienne me lança un long regard dur, mais elle finit par faire demi-tour et par s'éloigner. C'était une petite victoire, mais je vis au sourire d'Aman que, pour lui, c'était plus que ça.

– Bien envoyé ! murmura-t-il, en levant discrètement le pouce en signe de victoire.

Ombre

Grand-père

Matt avait eu raison de dire qu'Aman faisait des prouesses au Monopoly. Au bout d'une heure, il possédait à peu près tout Londres, m'avait laissé sans rien, et envoyé en prison.

– Vous voyez ? s'exclama-t-il, triomphant, en levant ses deux pouces en l'air. Je suis doué pour les affaires, comme mon père l'était. C'était un paysan. Nous vivions à Bamiyan, en Afghanistan. Il avait des moutons, beaucoup de moutons, les meilleurs moutons de la vallée. Il cultivait des pommes aussi, de grosses pommes vertes. J'adore les pommes.

– J'en ai moi aussi de bonnes dans mon jardin, dis-je. De très jolies pommes roses. Des James Grieve, on les appelle. Je t'en apporterai quelques-unes la prochaine fois que je viendrai.

– Ils ne vous le permettront pas, dit-il d'un air contrit.

– Je peux toujours essayer. J'ai réussi à faire entrer le Monopoly, non ?

Il me sourit. Puis, se penchant soudain en avant, sans plus faire attention à sa mère, il se mit à me poser toutes sortes de questions, certaines sur l'endroit où je vivais, le travail que je faisais, l'équipe de foot que je soutenais – je me rendis compte que Matt lui avait déjà raconté pas mal de choses sur moi, ce qui me fit très plaisir. Mais Aman voulait surtout parler de Matt, il me confia qu'il avait reçu toutes ses lettres, et qu'au bout d'un moment, il avait décidé de ne plus lui répondre, parce qu'il savait qu'il ne le reverrait plus jamais, et que ça ne servait qu'à le rendre triste.

– Il ne faut pas dire ça. Tu ne peux pas être sûr que tu ne le reverras pas.

– Si, répliqua-t-il.

Je savais qu'il avait raison, bien sûr, mais je crus devoir lui redonner un peu d'espoir.

– On ne sait jamais, dis-je. On ne sait jamais.

Je me souvins alors d'une photo de famille que j'avais prise avec moi au dernier moment – encore une idée de Matt, et une bonne aussi, avais-je pensé. Je la sortis de la poche de ma veste et m'apprêtai à la donner à Aman.

Soudain, une gardienne se mit à crier contre nous. Elle traversa la pièce à grands pas dans notre direction – c'était la même femme qui avait été désagréable avec moi un peu plus tôt. Tout le monde nous regardait.

– C'est interdit !

Elle se tenait juste au-dessus de nous, à présent, et continuait de crier :

– Vous faites exprès de déranger tout le monde, ou quoi ?

Cette fois, j'étais vraiment en colère, et je le lui fis savoir.

– Bon sang, ce n'est qu'une photo de famille !

Je la lui tendis pour qu'elle la voie.

– Regardez !

Elle me la prit des mains, l'examina d'un air maussade, en prenant son temps avant de me la rendre.

– À l'avenir, dit-elle, vous saurez que tout doit passer à la sécurité. Tout, compris ?

Je me contentai de hocher la tête, et n'ouvris plus la bouche jusqu'à ce qu'elle s'éloigne. Je m'en voulais terriblement de faire ça, de ne pas répliquer. Mais je savais qu'une discussion violente avec elle ne servirait à rien si je voulais qu'Aman puisse voir la photo. J'attendis donc qu'elle soit partie, je fis un clin d'œil victorieux à Aman, et glissai la photo sur la table, puis je lui montrai du doigt qui était chacun.

– Ça, c'est la famille dans le jardin, l'été dernier. Le pommier est là. Et Matt est à genoux, à côté de Dog. Oui, je sais, ce n'est pas un nom très original pour un chien, n'est-ce pas ? Je pense qu'il doit avoir à peu près le même âge que Matt, le même âge que toi. C'est plutôt vieux pour un chien.

Aman fronça soudain les sourcils. Il prit la photo pour la regarder de plus près.

– Ombre, murmura-t-il, et je vis qu'il avait les yeux pleins de larmes.

– Ombre.

– Pardon ? demandai-je, n'y comprenant rien. Est-ce qu'il y a quelque chose sur la photo… ?

Sans prévenir, Aman se leva brusquement, et se précipita hors du parloir. Sa mère le suivit aussitôt, me laissant assis là, avec l'impression d'être complètement idiot.

Je regardai la photo, essayant toujours de comprendre ce qui pouvait l'avoir bouleversé à ce point dans ce simple portrait de famille.

C'est alors qu'un autre gardien vint me parler à mi-voix, sur un ton de confidences déplacé :

– Caractériel, vous voyez. C'est le problème avec eux. Et je vous préviens, celui-là peut-être mauvais, aussi.

J'eus envie de me lever et de me secouer pour me débarrasser de lui. J'aurais dû lui faire savoir ce que je pensais. J'aurais dû répliquer : « Et comment vous vous sentiriez, si vous étiez mis en cage, comme ça ? Ce n'est qu'un enfant, sans maison, sans espoir, sans rien à attendre, si ce n'est son expulsion. »

Au lieu de ça, et pour la deuxième fois de la journée, je me tus. En gardant le silence comme je l'avais fait, j'avais l'impression d'avoir encore trahi Aman.

J'avais beau retourner les choses dans ma tête, je savais bien que tout était de ma faute. Je n'aurais jamais dû montrer cette photo à Aman.

Il commençait juste à me faire confiance, et j'avais tout gâché. Je ne comprenais pas pourquoi il avait réagi comme ça, mais je ne me sentais pas mieux pour autant. Tout le monde me regardait dans la pièce. Je suis sûr qu'ils pensaient que d'une manière ou d'une autre j'avais fait exprès de bouleverser Aman.

J'attendis un moment. J'espérais qu'il reviendrait, mais en même temps je mourais d'envie de sortir de là. Ne le voyant pas réapparaître, je décidai de ranger le jeu de Monopoly le plus vite possible, et de m'en aller.

Je venais de rassembler les derniers billets du jeu et je fermais le couvercle, quand je vis Aman revenir. Il traversait la pièce dans ma direction. Il s'assit en face de moi sans prononcer un mot, sans même me regarder. Je sentis qu'il valait mieux que je dise quelque chose.

— Je peux te laisser le Monopoly ici, si tu veux, et s'ils m'autorisent à le faire. Tu pourras y jouer avec tes amis.

— Je n'ai pas d'amis ici, répondit-il, les yeux toujours baissés. Tous mes amis sont à l'extérieur. Je suis à l'intérieur.

Puis il leva les yeux vers moi.

– Mais j'ai une photo de mes amis. Ma mère dit que je devrais vous la montrer.

Il regardait autour de lui, s'assurant que personne ne l'observait.

Puis il sortit un bout de papier froissé de sa poche et me le tendit furtivement sous la table. Je l'ouvris sur mes genoux.

C'était la sortie papier d'une photo envoyée par mail de l'équipe de football de l'école, en tenue bleue. Ils étaient tous serrés les uns contre les autres et riaient devant l'objectif. Matt était derrière, les bras levés en l'air, comme s'il venait de marquer un but.

– C'est mon équipe de foot, et voilà Matt. Vous le voyez ? demanda Aman. Les copains me l'ont envoyée de l'école. Et voilà mon maillot.

Ils tenaient un maillot de football d'un bleu vif. Au dos, il y avait le numéro 7, et au-dessus, en grandes lettres : AMAN.

– Si vous comptez les joueurs, poursuivit-il, vous verrez qu'il n'y en a que dix. Ils devraient être onze. Mais celui qui manque, c'est moi. Ça, c'est Marlon, le centre avant, vingt-sept buts l'année dernière, aussi bon que Rooney, et même meilleur. Le grand, là, comme une girafe – à côté de Matt dans le fond – c'est Flat Stanley, notre gardien de but, celui qui sourit de toutes ses dents, et qui lève le pouce pour m'encourager. Vous le voyez ?

Je le voyais, juste au milieu de la dernière rangée. Il tenait une immense banderole où l'on pouvait lire : ON VEUT QUE TU REVIENNES.

– Voilà mes amis, reprit-il. Je veux revenir parmi eux, revenir dans mon école, revenir dans ma maison, à Manchester. C'est là que je me sens chez moi, que mère se sent chez elle. C'est là que vit mon oncle Mir, que vit toute notre famille. Mère est désolée, elle m'a dit de vous expliquer qu'elle est très fatiguée, qu'elle doit s'allonger. Mais elle a voulu que je retourne vous voir, et que je vous parle. Juste avant de venir, elle m'a raconté que la nuit dernière, elle avait rêvé de vous, avant même de vous rencontrer, et qu'elle avait rêvé de père, de la grotte de Bamiyan dans laquelle nous vivions, des soldats aussi, et d'Ombre.

– Ombre ? Qu'est-ce que… Qui est Ombre ? lui demandai-je.

– Ombre était notre chienne, répondit Aman. Elle était exactement comme le chien qui est sur votre photo. Nous l'appelions Ombre, quand elle était à nous. Et, plus tard, d'autres l'ont appelée Polly. Elle a eu deux noms, parce qu'elle a eu deux vies. Elle était marron et blanc, comme le vôtre. Les mêmes paupières tombantes, et de longues oreilles.

Tout cela était trop confus, trop difficile à comprendre.

– Alors, Ombre est ta chienne, demandai-je, et elle est retournée chez vous à Manchester ? C'est bien ça ?

Aman fit un signe négatif de la tête.

– Non. Mère a raison, répondit-il. Elle dit que je

devrais tout vous raconter, tout sur Ombre, sur Bamiyan, et sur la façon dont nous sommes venus ici. Mère a rêvé de vous, la nuit dernière, avant même de vous rencontrer. Et dans ce rêve, elle m'a raconté que vous nous preniez par la main et que vous nous faisiez sortir d'ici. Elle dit qu'au début, elle n'était pas sûre de vous, mais qu'elle l'est, maintenant. Elle dit que vous savez écouter les gens et que vous avez bon cœur, que, comme tous les bons amis, vous savez écouter. Comme Matt, elle a dit, exactement comme Matt. Pourquoi seriez-vous venu nous voir, si vous ne vouliez pas nous écouter ? Elle dit que vous êtes notre dernière chance, notre dernier espoir de rentrer chez nous à Manchester, de rester en Angleterre. C'est pour ça qu'elle m'a conseillé de vous raconter toute notre histoire depuis le début, pour que vous sachiez pourquoi nous sommes venus ici, en Angleterre, et ce qui nous est arrivé. Elle dit que vous pouvez peut-être nous aider, si Dieu le veut. Elle dit que personne d'autre ne peut plus rien pour nous, maintenant. Est-ce que vous nous aiderez ?

– J'essaierai, Aman, bien sûr que j'essaierai, répondis-je. Mais je ne veux pas te donner de faux espoirs. Je ne peux vraiment rien promettre.

– Je ne veux pas de promesses. Je veux simplement que vous écoutiez notre histoire. C'est tout. Est-ce que vous pouvez faire ça ?

– Je t'écoute, dis-je.

Bamiyan

Aman

Je pense que je devrais d'abord vous parler de mon grand-père parce que, d'une certaine façon, tout a commencé avec lui.

Je ne l'ai pas connu, mais mère m'a souvent raconté ses histoires – elle continue parfois – et donc, je le connais à ma manière.

Il y a eu une époque, d'après ce que grand-père lui a raconté, où l'Afghanistan n'était pas comme aujourd'hui. Bamiyan, là où nous habitions, était une belle vallée paisible. Il y avait suffisamment à manger, et les différents peuples ne se faisaient pas la guerre. Pachtoun, Ouzbeks, Tadjiks, Hazara – ma famille appartient au peuple hazara.

Puis les étrangers sont arrivés, les Russes, d'abord, avec leurs chars et leurs avions, alors il n'y a plus eu de paix, et bientôt plus de nourriture, non plus.

Mon grand-père s'est battu contre eux avec les moudjahidin, qui étaient des combattants qui résistaient à l'invasion. Mais les chars russes sont venus dans notre vallée, à Bamiyan, et ils l'ont tué, ainsi que beaucoup d'autres.

Tout cela s'est passé bien avant ma naissance.

Mère se rappelle qu'après avoir chassé les Russes, les gens ont été heureux pendant un moment. Mais ensuite les talibans sont arrivés. Au tout début, ils étaient plutôt bien vus de la population, parce qu'ils étaient musulmans comme nous. Mais nous avons rapidement appris à les connaître. Ils voulaient notre mort. Si vous n'étiez pas d'accord avec eux, ils vous tuaient. Ils nous ont tout pris. Ils ont tout détruit. Ils ont brûlé nos champs. Ils ont fait sauter nos maisons, toutes nos maisons. Ils tuaient n'importe qui. On ne pouvait rien faire contre eux, sinon se cacher.

C'est pour ça que je suis né dans une grotte creusée dans la falaise au-dessus du village. J'ai grandi dans cette grotte, avec ma mère et ma grand-mère. Je n'étais pas malheureux. J'allais à l'école. J'avais des amis avec lesquels je jouais. Je ne connaissais rien d'autre. Mère et grand-mère se disputaient beaucoup, souvent pour la même chose, les bijoux de grand-mère, qu'elle avait cousus dans un sac et cachés à l'intérieur de son matelas. Mère essayait toujours de les lui faire vendre pour acheter à manger quand nous avions faim. Et grand-mère refusait.

Elle disait que nous avions toujours faim, et que nous arriverions bien à survivre, d'une façon ou d'une autre, s'il plaisait à Dieu. Elle répétait qu'il y avait quelque chose de plus précieux encore que la nourriture, et qu'elle gardait ses bijoux pour ça. Elle ne disait pas ce que c'était, ce qui exaspérait ma mère, et la mettait en colère. Moi, je ne me préoccupais pas trop de leurs disputes. J'y étais sans doute habitué.

Tous les gens qui comptaient pour moi dans le monde vivaient dans ces grottes, une centaine de personnes, ou même plus : il n'y avait pas d'autre endroit où aller, les talibans ne nous avaient pas laissé d'autre endroit où vivre. Ils avaient fait sauter tout Bamiyan, toutes nos maisons, même la mosquée.

Ils ont fait même pire. Ils ont détruit les immenses sculptures en pierre de Bouddha qui avaient été taillées dans la paroi de la falaise il y a des milliers d'années. Mère les a vus les démolir. Elle m'a raconté que c'étaient les plus grandes sculptures en pierre du monde, et que des gens venaient de très loin jusqu'à Bamiyan pour les voir, tellement elles étaient connues. Maintenant, il ne reste rien d'elles, rien qu'un énorme tas de pierres. Les talibans ont fait exploser toutes nos vies.

C'étaient des gens cruels.

Et puis, les Américains sont arrivés avec leurs chars, leurs hélicoptères, leurs avions, et les talibans ont été chassés de la vallée, une grande partie d'entre eux, en tout cas. Nous avons pensé que les choses allaient s'améliorer. Père parlait un peu anglais, il est donc devenu interprète auprès des Américains. Les gens n'arrêtaient pas de dire que nous aurions bientôt de nouvelles maisons où habiter, et une nouvelle école. Mais rien ne semblait vouloir changer. Il y avait un peu plus à manger, mais pas encore assez. Nous avions donc toujours faim. Dans la grotte, mère et grand-mère ont recommencé à se disputer.

Les choses revenaient à la normale.

Mais une nuit, les talibans sont venus dans notre grotte, et ils ont emmené mon père. J'avais six ans. Ils l'ont traité de traître, parce qu'il avait aidé les infidèles, les Américains. Mère s'est jetée sur eux pour tenter de les empêcher de l'emmener, mais elle n'était pas assez forte. J'ai crié, hurlé, mais ils m'ont tout simplement ignoré.

Nous n'avons jamais revu mon père. Pourtant, je me souviens très bien de lui. Ils ne peuvent pas m'enlever mes souvenirs. Il aimait bien me montrer la maison où il avait vécu, au fond de la vallée, et parfois nous nous promenions sur la terre où il avait fait paître son troupeau, pousser ses oignons et ses melons, et nous allions dans le verger où il avait fait pousser ses grosses pommes vertes.

Père me laissait toujours l'accompagner quand il chargeait l'âne de petit bois, qu'on utilisait ensuite pour allumer le feu. Tous les jours, nous descendions jusqu'à la rivière où nous prenions de l'eau, que nous remontions ensuite tout en haut de la colline, jusqu'à la grotte. Quelquefois, il m'emmenait à la ville pour acheter un morceau de pain, ou même de viande chez le boucher, quand nous avions un peu d'argent. Tout le monde l'aimait. Nous riions beaucoup ensemble, on se bagarrait tous les deux, et il jouait avec moi.

C'était un bon père. C'était un homme bon.

Mais les talibans avaient tout détruit, abattu les arbres des vergers, brûlé les récoltes, emmené mon père. Je ne l'ai plus jamais entendu rire. Tout ce qui nous restait de lui, c'était son vieil âne. C'est donc à lui que je parlais, parfois, pour me consoler. Il était très triste, comme moi. Peut-être que cet âne regrettait autant que moi la disparition de mon père.

Après, il n'y a plus eu que nous trois dans la grotte: mère, grand-mère et moi. Pendant des mois après que père avait été emmené, grand-mère passait ses journées couchée sur le matelas dans un coin, et mère restait assise à côté d'elle, le regard dans le vide, sans presque jamais parler. C'était à moi, désormais, de trouver assez de riz et de pain pour survivre. Je mendiais. Je volais. Il le fallait. J'allais chercher l'eau à la rivière, une longue marche jusqu'en bas de la colline, et une longue marche pour remonter. J'essayais aussi de rapporter suffisamment de bois pour que le feu reste allumé.

Nous avons réussi tant bien que mal à passer l'hiver sans mourir de faim ni de froid. Mais grand-mère avait de plus en plus mal aux jambes. Elle ne pouvait plus du tout se lever, si l'un de nous ne l'aidait pas.

Ce qui est arrivé à mère est de ma faute. J'étais au marché de la ville avec elle, quand j'ai volé une pomme, une seule pomme, pas grand-chose – il ne restait rien des nôtres, à présent. J'étais habile pour piquer des trucs. Je n'avais jamais été pris avant. Mais cette fois, j'avais été imprudent. Cette fois, j'ai été pris.

« Sale chien,
sale chien étranger ! »

Aman

Je me rappelle avoir entendu des cris de tous les côtés.

– Sale voleur ! Misérable pouilleux ! Arrêtez-le ! Arrêtez-le !

J'ai essayé de m'enfuir. Mais je n'en ai pas eu le temps, quelqu'un m'a empoigné. Il me frappait, et ne me laissait pas partir.

Mère est venue à mon secours, pour me protéger, mais un attroupement s'est formé autour de nous et, soudain, la police est arrivée. Mère leur a dit que c'était elle qui avait volé la pomme, et pas moi. Ils ont donc arrêté ma mère à ma place, et l'ont emmenée en prison. Là-bas, ils l'ont battue. Elle a encore les marques dans le dos. Elle est restée en prison presque une semaine.

Ils l'ont torturée.

Quand elle est revenue, elle s'est couchée sur le matelas à côté de grand-mère, et elles ont pleuré ensemble pendant plusieurs jours. Elle se détournait de moi, et ne me parlait pas. Je me demandais si elle voudrait jamais me reparler.

C'est peu de temps après son retour que la chienne est venue dans notre grotte – une chienne exactement comme le chien que vous m'avez montré sur la photo.

Mais quand je l'ai vue le premier soir, elle était maigre, sale, couverte de plaies. J'étais accroupi au-dessus du feu pour me réchauffer, quand j'ai levé les yeux et que je l'ai aperçue, assise là, qui me regardait. Elle était différente des autres chiens que je connaissais – petite, avec de courtes pattes, de longues oreilles, et des yeux noisette.

Je lui ai crié de s'en aller – vous savez, on ne fait pas entrer les chiens dans les maisons en Afghanistan. Les chiens doivent dormir dehors avec les autres animaux. Bien sûr, maintenant que j'ai vécu longtemps en Angleterre, je sais qu'ici, c'est différent. Il y a même des gens qui préfèrent les chiens aux enfants. D'ailleurs, je pense que si j'étais un chien, on ne m'enfermerait pas ici comme ça.

Enfin, quoi qu'il en soit, j'ai jeté une pierre à cette chienne pour la chasser. Mais elle est restée là où elle était, sans bouger. Elle restait simplement assise là.

Je me suis aperçu alors qu'elle frissonnait. Elle était si maigre qu'on voyait ressortir les os de ses hanches. Elle était couverte de plaies, et il était évident qu'elle avait faim. Alors, au lieu de lui jeter une autre pierre, je lui ai jeté un morceau de pain rassis. Elle l'a attrapé aussitôt, l'a mâché et avalé, puis elle s'est léché les babines en attendant que je lui en donne un autre.

Je lui ai lancé un autre morceau de pain. Et, avant que j'aie le temps de m'en rendre compte, elle était déjà au milieu de la grotte, se couchait à côté de moi, près du feu, s'installant commodément, comme si elle était vraiment chez elle. J'ai remarqué qu'elle avait une blessure à la patte, comme si elle s'était battue avec d'autres chiens, ou quelque chose comme ça. Elle n'arrêtait pas de la prendre entre ses dents et de la lécher.

Mère et grand-mère étaient toutes deux profondément endormies. Je savais qu'elles renverraient la chienne dehors dès qu'elles la verraient. Mais j'étais content de l'avoir avec moi. J'avais envie qu'elle reste. Elle avait un gentil regard, un regard amical. Je savais qu'elle ne me ferait pas de mal. Je me suis donc couché, et j'ai dormi à côté d'elle.

Tôt le lendemain matin, quand je suis allé chercher de l'eau, elle m'a suivi jusqu'à la rivière. Elle boitait salement, et tout le long du chemin. Elle m'a laissé laver sa patte et nettoyer sa blessure. Puis je lui ai dit qu'il fallait qu'elle s'en aille, et j'ai tapé des mains pour essayer de la faire partir. Je savais que si des gens la voyaient, ils risquaient de lui jeter des pierres – après tout, je l'avais bien fait moi-même –, et je ne voulais pas que ça arrive. Mais pendant tout le chemin du retour jusqu'en haut de la colline, elle est restée à mes côtés, sans me quitter un instant. Comme je m'y attendais, une bande d'enfants nous a vus, et a descendu aussitôt le chemin en courant pour la chasser. Ils lui jetaient des pierres, en lui criant :

– Sale chien, sale chien étranger !

J'ai fait tout ce que j'ai pu pour les arrêter, mais ils ne m'ont pas écouté. Je ne leur en veux pas, en y repensant maintenant. Il faut dire qu'elle était différente des autres chiens, qu'elle ne ressemblait pas à ceux que nous avions l'habitude de voir. Elle s'est enfuie et a disparu. J'ai cru que c'était la dernière fois que je la voyais.

Mais le soir même, elle est revenue à l'entrée de la grotte. J'ai découvert alors qu'elle aimait les tripes, si pourries soient-elles. Vous connaissez les tripes ? C'est une sorte de viande, faite de boyaux et de parois d'estomac de vache – c'était la seule viande qu'on pouvait se permettre d'acheter à Bamiyan. Il en restait quelques morceaux pourris, que je lui ai lancés.

Plus tard, cependant, quand la chienne s'est glissée à l'intérieur pour se rapprocher du feu, mère et grand-mère se sont réveillées et ont vu ce qui se passait. Elles se sont mises très en colère contre moi, criant que les chiens étaient sales, et qu'il ne fallait pas la laisser entrer. Je l'ai donc prise dans mes bras, et je l'ai déposée juste à la sortie de la grotte, où elle s'est assise, restant là sans nous quitter des yeux, jusqu'à ce que mère et grand-mère retournent se coucher. Elle a paru alors comprendre qu'elle pouvait revenir sans danger car, lorsque je me suis allongé, je l'ai retrouvée juste à côté de moi.

« Il faut que vous veniez en Angleterre. »

Aman

Les choses ont continué comme ça pendant plusieurs semaines.

Je ne sais pas comment, la chienne semblait savoir que lorsque j'étais seul, ou que mère et grand-mère étaient profondément endormies, elle pouvait venir à l'intérieur de la grotte. Et elle savait aussi quand elle devait garder ses distances. Elle était assise là, à l'entrée de la grotte chaque matin quand je me réveillais, et elle descendait avec moi jusqu'à la rivière.

Elle buvait alors longuement, et attendait que je lave la blessure de sa patte. Puis, tant qu'il n'y avait personne dans les environs, elle m'accompagnait pendant que j'allais ramasser du bois avec l'âne pour faire du feu.

Mais certains jours, surtout quand beaucoup de mes amis étaient dans le coin, je la voyais à peine, je l'apercevais simplement au loin, qui me regardait. Elle me manquait alors, mais c'était bon de savoir qu'elle était toujours dans les parages. Et tôt ou tard, le soir, elle était de nouveau à l'entrée de la grotte, attendant que je lui donne à manger, attendant que mère et grand-mère s'endorment. Ensuite, elle entrait, elle se couchait à côté de moi, son museau si près du feu que je craignais qu'elle se brûle les moustaches.

Un matin, je me suis réveillé de bonne heure, et je me suis aperçu que la chienne n'était pas là. Puis j'ai compris pourquoi : grand-mère était déjà réveillée. Elle était assise sur son matelas, mère toujours couchée à côté d'elle. J'ai vu que mère était bouleversée, presque en larmes. J'ai cru qu'elles s'étaient encore disputées, ou que mère avait de nouveau mal au dos.

Mais j'ai rapidement compris de quoi il s'agissait. Elles avaient déjà parlé assez souvent de cette idée : mère et moi, nous partirions tous deux de Bamiyan pour aller en Angleterre, sans emmener grand-mère. Elle était beaucoup trop vieille pour faire le voyage, disait-elle. Grand-mère lisait parfois à haute voix les cartes postales qu'oncle Mir envoyait d'Angleterre. Je n'avais jamais rencontré oncle Mir – c'est le frère aîné de ma mère –, mais j'avais l'impression de le connaître. On m'avait raconté son histoire. Il avait quitté Bamiyan bien avant ma naissance.

Tout le monde, dans les grottes, avait entendu parler d'oncle Mir, savait qu'il était parti quand il était jeune pour chercher du travail à Kaboul, qu'il avait épousé une infirmière anglaise, une fille nommée Mina, et qu'il était allé vivre avec elle en Angleterre. Il n'était jamais revenu, mais il écrivait souvent à grand-mère. Oncle Mir étant son seul fils, elle tenait énormément à chacune de ses lettres et de ses cartes postales.

Elle les emportait toujours avec elle, les regardait sans cesse. Elles lui étaient apportées de temps en temps par des amis d'oncle Mir, qui venaient d'Angleterre faire un séjour en Afghanistan, et grand-mère les gardait dans son matelas où elle les cachait avec ses autres objets précieux.

Elle adorait me montrer les cartes postales de bus rouges, de soldats en tunique rouge qui marchaient, de ponts sur le fleuve à Londres. Il y en avait une qu'elle nous relisait sans arrêt. Je me rappelle presque chacun de ses mots. Chaque fois qu'elle la lisait, une dispute éclatait.

– Un jour, lisait grand-mère à haute voix, il faut que vous veniez tous en Angleterre. Vous pouvez tous habiter chez nous. Mina et moi, nous avons beaucoup de place pour tout le monde. Il n'y a pas de guerre ici, pas d'affrontements. Mon affaire de taxi marche bien, maintenant. J'ai de l'argent que je pourrais vous envoyer. Je pourrais vous aider à venir.

Mère protestait toujours.

— Je me fiche pas mal de Mir et de ses cartes postales. De toute façon, je te l'ai dit et redit : je n'irai nulle part sans toi. Quand tes jambes iront mieux, s'il plaît à Dieu, alors on verra.

— Si tu attends que mes jambes aillent mieux, vous ne partirez jamais, répliquait grand-mère. Je suis ta mère. Mais ton père dirait comme moi s'il était toujours avec nous. Je te demande simplement de faire ce que je dis, parce que c'est ce qu'il dirait, lui. Je suis vieille. J'ai fait mon temps. Je le sais. Je le sens au fond de moi. Ces jambes ne remarcheront jamais comme avant. Tu dois partir avec Aman. Il n'y a rien d'autre ici pour vous que la faim, le froid et le danger. Tu sais ce qui arrivera si vous restez. Tu sais que la police reviendra. Va en Angleterre, chez Mir. Vous y serez en sécurité. Il s'occupera de vous. Là-bas, vous serez loin des dangers, loin de la police. Écoute ce que Mir a écrit. Là-bas, la police ne te mettra pas en prison, elle ne te battra pas. Là-bas, vous ne serez pas obligés de vivre dans une grotte comme des animaux.

Mère essayait souvent de l'interrompre, ce qui exaspérait grand-mère. Un jour, je m'en souviens, elle s'est mise vraiment en colère, je ne l'avais jamais vue comme ça.

— Tu devrais avoir un peu de respect pour ta

vieille mère, criait-elle. Tu t'attends à ce qu'Aman fasse ce que tu lui dis, non ? Non ? Eh bien, maintenant, tu dois faire ce que je dis, moi. Je te répète que je serai bientôt entre les mains de Dieu. Je n'ai pas besoin que vous restiez. Dieu veillera sur moi, et il veillera sur vous pendant votre voyage vers l'Angleterre.

Elle a passé la main sous sa robe et en a sorti une enveloppe, qu'elle a vidée sur la couverture, à côté d'elle. Je n'avais jamais vu autant d'argent de toute ma vie.

– La semaine dernière, un ami de Mir m'a apporté une autre carte postale et, cette fois, il y avait un peu d'argent aussi, suffisamment, d'après lui, pour vous sortir d'Afghanistan, et vous permettre d'arriver en Angleterre en passant par l'Iran et la Turquie. Sur l'enveloppe, là, il a écrit les numéros de téléphone que vous devrez appeler pour entrer en relation avec des gens, à Kaboul, à Téhéran, à Istanbul, qui vous aideront. Il faut que vous preniez ça, aussi.

Elle enlevait son collier, et les bagues de ses doigts.

– Prends-les, et je vais te donner tous les bijoux que j'ai gardés pour vous pendant tout ce temps. Vends-les bien à Kaboul, et ils vous aideront à acheter votre liberté. Ils vous emmèneront loin de cette peur et de cette ignorance. Ce sont la peur et l'ignorance qui tuent les gens dans leur cœur, qui les rendent cruels. Prends aussi l'âne de père. C'est ce qu'il aurait voulu. Tu pourras le vendre quand vous n'en aurez plus besoin. Ne discute pas avec moi. Prends-les, prends l'enveloppe et l'argent, prends les bijoux, prends mon petit-fils adoré, et pars. Si Dieu le veut, vous arriverez en Angleterre sains et saufs.

À la fin, grand-mère a réussi à convaincre mère de parler au moins à oncle Mir au téléphone. Quand je l'ai accompagnée au marché de la ville, quelques jours plus tard, mère l'a appelé du téléphone public. Elle lui a parlé, puis elle me l'a passé. À mon oreille, oncle Mir me semblait tout près, je m'en souviens. Il m'a parlé d'une voix très chaleureuse, comme s'il me connaissait depuis toujours. En plus, il m'a dit qu'il soutenait Manchester United. C'était mon équipe à moi aussi ! Il avait même vu Ryan Giggs, et le plus grand des champions aussi, David Beckham ! Il m'a dit qu'il m'emmènerait voir un match, et que nous pourrions rester chez Mina et lui aussi longtemps qu'on en aurait besoin, jusqu'à ce qu'on se trouve un endroit à nous. J'étais très excité, ensuite. Je n'avais plus qu'une envie : aller en Angleterre, partir immédiatement.

Après l'appel téléphonique, mère s'est arrêtée acheter un peu de farine au marché, tandis que je continuais à avancer. Quand je me suis retourné au bout d'un moment, pour voir si elle venait, j'ai vu que l'un des marchands criait contre elle, en agitant les bras d'un air menaçant. J'ai cru que c'était une dispute à propos de l'argent, qu'il ne lui avait peut-être pas bien rendu la monnaie. Ils le font toujours au marché.

Mais ce n'était pas ça.

Elle m'a rattrapé et m'a pressé d'avancer. Je voyais la peur dans ses yeux.

– Ne regarde pas autour de toi, Aman, a-t-elle dit. Je connais cet homme. C'est un taliban. Il est très dangereux.

– Un taliban ? Ils sont encore là ?

Je croyais que les talibans avaient été vaincus depuis longtemps par les Américains, et chassés dans les montagnes. Je ne comprenais pas ce qu'elle voulait dire.

– Les talibans sont toujours là, Aman, m'a-t-elle expliqué, et elle ne pouvait plus s'empêcher de pleurer, à présent. Ils sont partout, dans la police, dans l'armée, comme des loups déguisés en agneaux. Tout le monde sait qui ils sont, mais les gens ont trop peur pour oser parler. Cet homme, au marché, c'était un de ceux qui sont venus dans la grotte, qui ont emmené ton père, et qui l'ont tué.

Je me suis retourné pour voir. J'aurais voulu courir lui lancer à la figure que c'était un assassin. J'aurais voulu le regarder dans les yeux et l'accuser. J'aurais voulu lui montrer que je n'avais pas peur.

– Ne le regarde pas, m'a dit mère en m'entraînant. Ne fais rien, Aman, s'il te plaît. Tu aggraverais les choses, c'est tout.

Elle a attendu que nous soyons sortis de la ville, et en sécurité, pour m'en dire plus.

– Il a voulu m'escroquer au marché, et quand j'ai protesté, il m'a affirmé que si je ne quittais pas la vallée, il le dirait à son frère, qui me ferait de nouveau jeter en prison. Je ne connais que trop bien son frère. C'est l'un des policiers qui m'ont déjà emprisonnée. C'est l'un de ceux qui m'ont battue, et qui m'ont torturée. Ce n'était pas à cause de la pomme que tu as volée, Aman. C'était pour que je ne dise à personne ce que son frère avait fait à ton père, pour que je ne dise pas que c'était un taliban. Qu'est-ce que je peux faire ? Je ne peux pas abandonner grand-mère. Elle est incapable de s'occuper d'elle. Qu'est-ce que je peux faire ?

Je lui ai pris la main pour la réconforter, mais elle a pleuré tout le long du chemin jusqu'à la maison. Je lui ai répété que tout irait bien, que je veillerais sur elle.

Cette nuit-là, j'ai entendu grand-mère et mère parler à voix basse dans la grotte, et pleurer ensemble, aussi. Quand elles se sont enfin endormies, la chienne s'est glissée dans la grotte, puis s'est couchée à côté de moi. J'ai enfoui mon visage dans son pelage, je l'ai serrée fort contre moi.

– Tout ira bien, non ? lui ai-je dit.

Mais je savais qu'il n'en serait rien. Je savais que quelque chose de terrible allait arriver. Je le sentais.

« Marche la tête haute, Aman. »

Aman

Tôt le lendemain matin, les policiers sont venus dans la grotte. Mère était descendue chercher de l'eau à la rivière, j'étais donc seul avec grand-mère quand ils sont arrivés. Ils étaient trois. L'homme du marché les accompagnait. Ils ont dit qu'ils étaient venus fouiller la grotte.

Quand grand-mère s'est levée péniblement pour essayer de les en empêcher, ils l'ont poussée, la faisant tomber par terre. Puis ils se sont tournés vers moi, et se sont mis à me battre et à me donner des coups de pied. J'ai vu alors la chienne bondir dans la grotte. Elle n'a pas hésité. Elle s'est jetée sur eux en aboyant et en grondant. Mais ils l'ont repoussée à coups de pied, de bâton, et l'ont chassée.

Ensuite, ils ont paru m'oublier complètement, et ils se sont mis à casser tout ce qu'ils pouvaient, faisant voler nos objets à travers la grotte, piétinant notre marmite en terre, l'un d'eux a même pissé sur notre matelas avant de partir.

Je n'avais pas vu que grand-mère s'était fait aussi mal, avant de la retourner sur le dos. Elle avait les yeux fermés. Elle était inconsciente. Elle s'était sans doute cogné la tête en tombant. Une grande entaille lui barrait le front. J'ai essayé de laver le sang, de la réveiller. Mais le sang recommençait chaque fois à couler, et elle n'ouvrait pas les yeux.

Quand mère est revenue un peu plus tard, elle a fait tout ce qu'elle a pu pour la ranimer, mais en vain. Grand-mère est morte ce soir-là. Parfois, je pense qu'elle est morte parce qu'elle ne voulait tout simplement pas se réveiller, parce qu'elle savait que c'était le seul moyen de nous faire partir, mère et moi, le seul moyen de nous sauver.

Nous avons quitté Bamiyan le lendemain, le jour de l'enterrement de grand-mère. Nous avons fait ce que grand-mère nous avait dit. Nous avons emmené l'âne de père avec nous, pour porter les quelques affaires qui nous restaient, les ustensiles de cuisine, les couvertures, le matelas dans lequel étaient cachés les bijoux de grand-mère et l'argent d'oncle Mir. Nous avons emporté un peu de pain et quelques pommes, que nos amis nous avaient donnés pour le voyage, et nous avons pris la route pour sortir de la vallée. J'essayais de ne pas me retourner, mais je ne pouvais pas m'en empêcher.

À cause de tout ce qui s'était passé, sans doute, j'avais presque oublié la chienne, ce qui n'était vraiment pas juste, quand j'y pense. Après tout, la veille encore, elle avait essayé de me défendre dans la grotte. Et là, soudain, elle est apparue, sortant de je ne sais où.

Elle était simplement là. Elle a marché à côté de nous pendant un moment, puis elle a couru devant, comme si elle nous conduisait, comme si elle savait où elle allait. De temps en temps, elle s'arrêtait, se mettait à flairer frénétiquement le sol, puis elle se retournait et nous regardait. Je ne sais pas très bien si c'était pour s'assurer que nous venions, ou si c'était pour nous faire savoir que tout allait bien, que c'était la route pour Kaboul, qu'il nous suffisait de la suivre.

Mère et moi montions sur l'âne chacun notre tour. Nous ne parlions pas beaucoup. Nous étions tous les deux trop tristes, à cause de la mort de grand-mère, et trop fatigués, aussi. Mais au début, le voyage s'est plutôt bien passé. Nous avions assez d'eau et de nourriture pour continuer. L'âne avançait d'un pas lourd, le chien restait avec nous, toujours devant, remuant vigoureusement la queue, flairant le sol.

Mère m'avait prévenu que nous devrions marcher pendant des jours et des jours avant d'atteindre Kaboul, mais nous avons réussi à trouver un abri chaque nuit. Les gens étaient gentils avec nous et hospitaliers. Les gens de la campagne, en Afghanistan n'ont pas grand-chose, mais ce qu'ils ont, ils le partagent.

À la fin de chaque jour de marche, nous étions toujours épuisés. Je n'étais pas vraiment heureux. Je ne pouvais pas l'être. Mais j'étais excité. Je savais que je me préparais à vivre la plus grande aventure de ma vie. J'allais voir le monde au-delà des montagnes, comme oncle Mir.

J'allais en Angleterre.

En arrivant près de Kaboul, la route était plus animée, il y avait des poids lourds, des camions de l'armée, des charrettes. L'âne devenant nerveux à cause de la circulation, nous marchions à pied, mère et moi. Soudain, nous avons vu un poste de contrôle un peu plus loin devant nous. J'ai aussitôt senti que mère était terrifiée. Elle m'a pris la main, l'a serrée et ne l'a plus lâchée. Elle n'arrêtait pas de me répéter de ne pas avoir peur, que tout irait bien, si Dieu le voulait. Mais je savais qu'elle le disait plus pour elle-même que pour moi.

Quand nous sommes arrivés au poste de contrôle, les policiers ont commencé à crier contre la chienne et à la traiter de tous les noms, avant de lui lancer des pierres. Une des pierres l'a atteinte, et elle s'est enfuie en courant, hurlant de douleur. Ça m'a mis en colère, assez en colère, même, pour être courageux. Je me suis entendu leur retourner leurs injures, leur dire exactement ce que je pensais d'eux, ce que tout le monde pensait de la police. Ils nous ont alors entourés comme un essaim d'abeilles furieuses, ils se sont mis à nous insulter, nous traitant de sales chiens d'Hazara, et nous ont menacés de leurs fusils.

À ce moment-là – et au début je n'en croyais pas mes yeux –, la chienne est revenue. Elle était si courageuse ! Elle s'est approchée d'eux en aboyant, en grondant, elle est arrivée à en mordre un à la jambe, aussi, avant qu'ils la chassent à coups de pied. Cette fois, elle a couru au loin et n'est pas revenue. Après ça, ils nous ont emmenés derrière leur cabane, ils nous ont poussés contre un mur, et ont demandé à voir nos papiers d'identité. J'ai cru qu'ils allaient nous abattre, tellement ils étaient furieux.

Ils ont dit à mère que nos papiers étaient pourris, comme nous, qu'ils ne nous les rendraient pas tant que nous ne leur donnerions pas notre argent. Mère a refusé. Alors, ils nous ont fouillés tous les deux, brutalement, et sans respect, non plus. Ils n'ont rien trouvé, bien sûr.

Mais ensuite, ils ont cherché dans le matelas.

Ils l'ont éventré, et ils ont trouvé l'argent, ainsi que les bijoux de grand-mère. Les policiers se sont immédiatement partagé l'argent d'oncle Mir et les bijoux de grand-mère, là sous nos yeux. Ils ont pris ce qui nous restait de nourriture, et même notre eau.

L'un d'eux, qui devait être le commandant, m'a tendu l'enveloppe vide et nos papiers. Puis, avec un grand sourire sarcastique sur son horrible visage, il a fait tomber deux ou trois pièces de monnaie dans ma main.

– Tu vois comme on est généreux, a-t-il lancé. Vous avez beau être hazara, on ne veut pas que vous mouriez de faim, n'est-ce pas ?

Avant de nous laisser partir, ils ont décidé de prendre l'âne de mon père, aussi. Tout ce qui nous restait au monde, quand nous avons quitté le poste de contrôle, sous leurs rires et leurs sarcasmes, c'étaient quelques pièces de monnaie et les vêtements que nous portions sur nous. La main de mère a pris la mienne et l'a serrée très fort.

– Marche la tête haute, Aman. Ne baisse pas la tête, a-t-elle murmuré. Nous sommes hazara. Nous ne pleurerons pas. Nous ne les laisserons pas nous voir pleurer. Dieu veillera sur nous.

Nous avons retenu nos larmes, tous les deux. J'étais fier d'elle qui avait réussi à le faire, et fier de moi, aussi.

Environ une heure plus tard nous étions assis là, au bord de la route. Mère gémissait et pleurait, la tête entre ses mains. Elle semblait avoir perdu tout courage, tout espoir. Je crois que j'étais trop en colère pour pleurer. J'étais en train de m'occuper d'une ampoule que j'avais au talon, je m'en souviens, quand j'ai levé les yeux et que j'ai vu la chienne qui sortait du désert, courant vers nous. Elle m'a léché partout, puis elle a léché mère partout aussi, en bousculant tout avec sa queue.

À ma grande surprise, mère n'a pas semblé contrariée. Elle riait, au contraire, entre ses larmes.

– Au moins, a-t-elle dit, au moins, il nous reste une amie dans ce monde. Elle a été très courageuse, cette chienne. J'avais tort à son sujet. Je pense qu'elle n'est peut-être pas comme les autres chiens. C'est peut-être une étrangère, mais justement, en tant que telle, nous devrions l'accueillir et nous occuper d'elle. C'est peut-être une chienne, mais je crois que c'est plutôt une amie qu'une chienne, comme une ombre amicale qui ne veut pas nous quitter. On ne perd jamais son ombre.

– C'est comme ça que nous l'appellerons, alors, ai-je dit. Ombre. Nous l'appellerons Ombre.

La chienne a eu l'air content en me regardant. Elle souriait. Elle souriait vraiment. Elle a bientôt bondi devant nous, flairant le bas-côté de la route, remuant la queue comme pour nous faire signe d'avancer.

C'était étrange. Nous venions de perdre tout ce que nous avions au monde, et quelques minutes auparavant tout nous avait semblé complètement désespéré, mais à présent, le simple fait de la voir remuer la queue nous redonnait de l'espoir. Je voyais bien que mère ressentait la même chose que moi. J'ai compris à ce moment-là que, d'une façon ou d'une autre, nous trouverions le moyen d'aller jusqu'en Angleterre. Ombre nous y conduirait. Je ne savais pas comment. Mais ensemble, nous y arriverions. Par un moyen ou par un autre, d'une manière ou de l'autre.

D'une manière ou de l'autre

Aman

Nous avons dû rester longtemps assis là, jusqu'à ce qu'il fasse nuit. Nous n'avions que les étoiles pour nous tenir compagnie. Chaque camion qui passait nous couvrait de poussière. Mais à la fin, le chauffeur d'un pick-up nous a laissés monter sur la plate-forme arrière, où s'entassaient des melons, des centaines de melons.

Nous avions tellement faim que nous en avons mangé plusieurs à nous deux, avant de jeter leur peau par l'arrière du pick-up, pour que le chauffeur ne s'en rende pas compte. Ensuite, nous avons dormi. Ce n'était pas confortable. Mais nous étions trop fatigués pour y faire attention. Il faisait déjà jour quand nous sommes arrivés à Kaboul.

Mère n'était jamais allée à Kaboul de sa vie, et moi non plus. Nous avions mis tous nos espoirs dans les contacts téléphoniques dont oncle Mir nous avait écrit les numéros au dos de l'enveloppe.

La première chose à faire était donc de trouver un téléphone public. Le chauffeur nous a fait descendre sur la place d'un marché. C'était la première fois de ma vie que je me trouvais dans une grande ville. Il y avait tellement de gens, tellement de rues, de boutiques, d'immeubles, tellement de voitures, de camions, de charrettes, de bicyclettes, et partout il y avait des policiers et des soldats. Ils étaient tous armés de fusils, mais ce n'était pas nouveau pour moi, ni spécialement effrayant. À Bamiyan aussi, tout le monde avait un fusil. Je pense que quasiment tous les hommes ont un fusil en Afghanistan. Non, ce qui m'a fait peur, c'était leur regard. Chaque policier, chaque soldat semblait nous regarder nous, et uniquement nous, quand nous passions.

Au bout d'un moment, je me suis aperçu que ce n'était pas tellement nous qui les intéressions. C'était Ombre. Elle marchait furtivement à nos côtés, beaucoup plus près que d'habitude, son nez touchant ma jambe de temps en temps. Je voyais bien qu'elle n'aimait pas plus que nous le bruit et l'agitation de la ville.

Il nous a fallu un certain temps pour trouver un téléphone public. Mère a fixé un rendez-vous avec le contact d'oncle Mir et, au début, il était presque aimable. Il nous a donné un repas chaud, et j'ai pensé que tout allait bien se passer, désormais. Mais quand mère lui a dit que nous avions perdu tout l'argent qu'oncle Mir nous avait envoyé pour le voyage en Angleterre, et qu'on nous l'avait volé, il est devenu soudain beaucoup moins chaleureux.

Mère l'a supplié de nous aider. Elle lui a expliqué que nous n'avions nulle part où aller, nulle part où passer la nuit. J'ai alors remarqué que, comme la police et les soldats dans la rue, il semblait lui aussi plus intéressé par Ombre que par nous. Il a accepté de nous laisser une chambre pour une nuit. C'était une pièce nue, meublée seulement d'un lit et d'un tapis, mais après avoir passé toute ma vie dans une grotte, c'était comme un palace pour moi.

Nous n'avions qu'une seule envie. L'homme restait là, cependant, et ne nous laissait pas seuls. Il n'arrêtait pas de nous poser des questions sur Ombre, il voulait savoir où nous l'avions trouvée, quel genre de chienne c'était.

– Cette chienne, dit-il, a l'air d'être étrangère. Est-ce qu'elle mord ? Est-ce que c'est un bon chien de garde ?

Plus je voyais cet homme, moins j'avais confiance en lui. Ombre ne l'aimait pas beaucoup non plus, et elle gardait ses distances. Les yeux de l'homme lançaient des regards furtifs, il se dégageait de lui quelque chose de mesquin et de sournois. C'est pourquoi j'ai répondu :

– Oui, elle mord. Et si quelqu'un nous attaque, elle devient furieuse, une vraie louve.

– C'est un bon chien de combat, alors ? a-t-il demandé.

– On ne peut pas trouver mieux. Une fois qu'elle mord, elle ne lâche plus.

– Bien, c'est une bonne chose, a-t-il dit.

L'homme a réfléchi quelques instants, sans jamais quitter Ombre des yeux.

– Voilà ce que je vous propose. Vous me donnez cette chienne, et j'arrange tout ce qu'il faut pour vous. Je vous donnerai assez d'argent pour passer la frontière avec l'Iran et pour aller jusqu'en Turquie. Vous n'aurez plus à vous inquiéter de rien. Qu'est-ce que vous en pensez ?

Mère a aussitôt compris ce que cherchait l'homme.

– Vous voulez l'utiliser dans des combats de chiens, c'est ça ? a-t-elle demandé.

– Oui, c'est ça. Elle n'est pas très grande. Et un vrai chien de combat afghan réduira en miettes une chienne étrangère comme elle. Mais du moment qu'elle est capable de bien se battre, c'est tout ce qui compte. Ce n'est pas seulement une question de taille. C'est le spectacle que les gens viennent voir. Alors, marché conclu ?

– Non, pas question. Nous ne la vendons pas, n'est-ce pas, Aman ? a répondu mère, en s'accroupissant et en passant son bras autour d'Ombre. Pour rien au monde. Elle nous est restée fidèle, et nous lui resterons fidèles.

Alors, l'homme s'est mis en colère. Il a crié :

– Pour qui vous prenez-vous ? Vous, les Hazara, vous êtes tous les mêmes, avec vos grands airs. Vous feriez mieux de réfléchir à ma proposition. Vous me vendez ce chien, sinon… ! Je reviendrai dans la matinée.

Il a claqué la porte derrière lui en partant, et nous avons entendu la clé tourner dans la serrure. Quand j'ai essayé d'ouvrir, juste après, tout était bloqué. Nous étions prisonniers.

En comptant les étoiles

Aman

La fenêtre était haute, mais mère a pensé que si nous tournions le lit sur le côté, et que nous montions dessus, nous devrions arriver à nous échapper. C'est donc ce que nous avons fait. C'était une petite fenêtre, et il faudrait sauter de haut de l'autre côté, mais nous n'avions pas le choix. Il fallait essayer. C'était notre seul espoir.

Je suis monté le premier, et mère m'a tendu Ombre. J'ai lancé la chienne par la fenêtre, je l'ai vue atterrir saine et sauve, puis je l'ai suivie. Mère a eu plus de mal, et il lui a fallu un certain temps, mais à la fin, à force de contorsions, elle a réussi à sortir par la fenêtre, et à sauter. Nous étions dans une ruelle. Il n'y avait personne autour de nous. J'aurais voulu courir, mais mère a dit que nous attirerions l'attention. Nous sommes donc sortis de la ruelle en marchant tranquillement, et nous nous sommes retrouvés dans les rues bondées de Kaboul.

Avec tous les gens qui nous entouraient, je pensais que nous serions suffisamment en sécurité, mais mère a dit qu'il vaudrait mieux sortir complètement de Kaboul, pour être le plus loin possible de cet homme. Nous n'avions pas d'argent pour acheter à manger, pas d'argent pour un ticket d'autobus. Nous avons donc commencé à marcher, Ombre nous ouvrant de nouveau le chemin. Nous la suivions dans les rues de la ville, nous frayant un passage dans le grouillement des gens et de la circulation, trop épuisés pour faire attention à la direction que la chienne nous faisait prendre. Nord, sud, est ou ouest, cela n'avait pas beaucoup d'importance. Nous laissions le danger derrière nous, et c'était tout ce qui comptait.

Quand la nuit a commencé à tomber, nous étions déjà bien en dehors de la ville. Les étoiles et la lune étaient visibles au-dessus des montagnes, mais c'était une nuit froide, et nous savions que nous devrions bientôt trouver un abri.

Nous avons essayé de faire du stop pendant plusieurs heures, mais personne ne s'est arrêté. Puis nous avons eu de la chance. Un camion était rangé devant nous, au bord de la route. J'ai frappé à la vitre, et j'ai demandé au chauffeur s'il pourrait nous faire monter. Il a voulu savoir d'où nous venions. Quand je lui ai répondu que nous étions de Bamiyan et que nous allions en Angleterre, il s'est mis à rire, et nous a appris qu'il venait d'un village de la vallée, qu'il était hazara, comme nous. Il n'allait pas jusqu'en Angleterre, il s'arrêtait à Kandahar, mais il serait content de nous prendre si cela pouvait nous aider. Mère a dit que nous étions prêts à le suivre n'importe où, que nous avions faim, que nous étions fatigués, et que nous avions surtout besoin de nous reposer.

Il s'est révélé être le meilleur des hommes que nous pouvions espérer rencontrer. Il nous a donné de l'eau à boire, et a partagé son dîner avec nous. Nous frissonnions de froid, mais nous nous sommes rapidement réchauffés dans la chaleur confinée de la cabine. Il nous a posé quelques questions, la plupart sur Ombre. Il a dit qu'il n'avait vu qu'une seule fois un chien d'apparence étrangère comme Ombre, que ce chien était avec des soldats américains ou britanniques, il ne savait plus très bien.

– Ils utilisent des chiens comme ça pour trouver les bombes au bord de la route, pour les flairer, a-t-il expliqué en hochant tristement la tête. Ces soldats, les soldats étrangers, ils paraissent tous pareils sous leurs casques, et certains d'entre eux sont très jeunes. Ce ne sont que des gamins pour la plupart, loin de chez eux, et trop jeunes pour mourir.

Ensuite, il s'est arrêté de parler, il a simplement fredonné les chansons qui passaient à la radio. Nous avons aussitôt sombré dans le sommeil.

Je ne sais pas combien d'heures plus tard, le chauffeur nous a réveillés.

– Kandahar, a-t-il dit, en nous montrant sur sa carte la route qui menait à la frontière iranienne. Au sud, puis vers l'ouest. Mais il vous faut certains papiers pour la traverser. Les Iraniens sont très stricts. Vous n'avez pas ces papiers, n'est-ce pas ? Et de l'argent ?

– Non, a répondu mère.

– Pour les papiers, je ne peux pas vous aider, a dit le chauffeur. En revanche, j'ai un peu d'argent. Ça ne fait pas beaucoup, mais vous êtes hazara, c'est comme si vous étiez de la famille, et vous en avez plus besoin que moi.

Mère ne voulait pas le prendre, mais il a insisté. Ainsi, grâce à cet inconnu, nous avons au moins pu manger et trouver une chambre, tandis que nous réfléchissions à ce que nous allions faire et à notre prochaine étape. Je ne sais pas combien d'argent le chauffeur du camion nous avait donné, mais je sais qu'après avoir payé notre repas et la chambre pour la nuit, il nous restait tout juste assez pour acheter deux tickets de car qui nous permettraient de sortir de la ville le lendemain matin. Malheureusement, nous allions bientôt nous apercevoir que cela ne nous mènerait pas bien loin.

Le car que nous avions pris, et qui aurait dû nous conduire jusqu'à la frontière, est tombé en panne en pleine campagne. C'était une campagne très différente de la jolie vallée de Bamiyan à laquelle j'étais habitué. Là, il n'y avait ni vergers ni champs, juste un désert et des pierres, à perte de vue, il faisait si chaud, et l'air était si poussiéreux que de jour, on avait du mal à respirer. Et la nuit, il faisait froid, parfois trop froid pour dormir.

Heureusement, il y avait toujours les étoiles. Père me disait souvent qu'il suffisait d'essayer de compter les étoiles, et qu'on finissait toujours par s'endormir. Il avait raison pour la plupart des nuits. Nuit et jour nous avions toujours soif, nous avions toujours faim. Et l'ampoule sur mon talon s'aggravait, elle me faisait de plus en plus mal.

Après avoir marché plusieurs jours – je ne sais pas combien –, nous sommes enfin arrivés dans un petit village, où nous avons pu boire de l'eau du puits et nous reposer un peu, pendant que mère lavait mon pied. Les habitants du village restaient devant leur porte à nous regarder d'un air méfiant, comme si nous venions de l'espace. Quand mère a demandé quelle direction prendre pour aller vers la frontière, ils ont haussé les épaules et se sont détournés. Cette fois encore, c'est Ombre qui semblait les intéresser, et pas nous. Comme toujours, elle explorait les alentours, en reniflant un peu partout. En repartant, j'ai vu que quelques enfants nous suivaient, nous surveillant de loin. Juste à la sortie du village, nous avons vu un croisement devant nous.

– Et maintenant ? a dit mère. Quelle route est-ce qu'on prend ?

C'est alors que j'ai remarqué qu'Ombre s'était brusquement arrêtée. Elle restait immobile au carrefour, la tête baissée, fixant le sol au bord de la route. Je l'ai appelée, et elle ne s'est même pas retournée. J'ai tout de suite compris que quelque chose n'allait pas.

J'ai regardé derrière moi. Les enfants du village s'étaient arrêtés, eux aussi, et l'un d'eux montrait quelque chose du doigt ; ce n'était pas Ombre, c'était plus loin, plus loin sur la route.

– J'ai vu alors ce qu'ils avaient vu, des soldats étrangers – ils étaient plusieurs – qui se dirigeaient lentement vers nous. Celui qui marchait le premier avait un détecteur – j'en avais déjà aperçu à Bamiyan, et je savais à quoi ça servait. Il le passait sur la route devant lui à la recherche d'engins explosifs. Je crois que c'est seulement à ce moment-là que j'ai réalisé ce qui se passait et que j'ai compris ce que faisait Ombre. Elle avait découvert une bombe. Elle était tombée en arrêt là où était la bombe. Elle nous la montrait. Et j'ai compris que, d'une certaine façon, elle la montrait aux soldats aussi.

Mais ils ne pouvaient pas la voir. Elle leur était cachée par une grosse pierre au bord de la route. Alors, j'ai couru en avant. Je n'ai même pas réfléchi un instant. J'ai simplement couru vers les soldats, vers Ombre, vers la bombe.

Polly

Aman

Je courais, je courais, en faisant de grands gestes aux soldats pour les avertir, en leur criant et en leur hurlant qu'il y avait une bombe, en leur montrant du doigt où elle se trouvait, là où était Ombre.

Tous les soldats s'étaient arrêtés, s'accroupissaient, et me visaient.

Pendant un instant, le monde entier a semblé s'immobiliser. Je me rappelle qu'un des soldats s'est levé et m'a crié de m'arrêter là où j'étais. Je ne comprenais pas un mot d'anglais, bien sûr, mais il me montrait très clairement ce qu'il voulait que je fasse. Il me disait de reculer, et vite.

C'est donc ce que j'ai fait. J'ai reculé jusqu'à ce que je retrouve les bras de mère autour de moi, qui me serraient très fort. Elle sanglotait de terreur, et c'est à ce moment seulement que j'ai commencé à avoir peur moi-même, à comprendre le grand danger que nous courions.

Le soldat marchait vers Ombre, à présent, criant un mot, le répétant sans arrêt, mais il ne s'adressait pas à nous, il s'adressait à Ombre.

– Polly ? Polly ? Polly ?

Ombre s'est retournée, l'a regardé, a remué la queue une seule fois, puis elle est redevenue immobile comme une statue, la tête baissée, pointant le museau vers le sol. Ombre ne remuait jamais la queue pour personne, en dehors de ses amis. Elle connaissait ce soldat, et il la connaissait.

C'étaient de vieux amis. Il ne pouvait pas en être autrement.

Mais comment était-ce possible ? Je n'arrivais pas du tout à le comprendre. C'était un moment bizarre. Je savais que la bombe pouvait exploser d'un instant à l'autre, mais je n'avais qu'une seule question en tête : comment Ombre et le soldat avaient-ils bien pu se connaître ?

Le soldat nous criait toujours de reculer plus loin, puis il nous a fait signe de nous coucher par terre. Mère me tirait sans arrêt en arrière, elle me traînait presque, jusqu'à ce que je me retrouve allongé avec elle au fond d'un fossé. Son bras, passé autour de ma taille, me serrait fort, et sa main m'appuyait sur la tête, pour que je la tienne baissée.

– Ne bouge pas, Aman, m'a-t-elle chuchoté à l'oreille. Ne bouge pas !

Pendant tout le temps où nous sommes restés couchés là, elle n'a pas arrêté de prier.

Je ne sais pas combien de temps nous sommes restés allongés dans le fossé, je sais seulement que j'étais tout mouillé, et que j'avais des élancements de douleur dans le pied. Chaque fois que je voulais me mettre à genoux pour voir ce qui se passait, mère m'en empêchait.

Nous entendions les soldats parler, mais nous ne savions absolument pas ce qui se passait, jusqu'à ce que nous entendions des pas venir vers nous le long de la route.

Nous avons levé les yeux vers deux soldats qui se tenaient au-dessus de nous, un étranger, et un soldat en uniforme afghan. Ombre était là aussi, haletante, l'air très content d'elle. Les deux soldats nous ont aidés à sortir du fossé, tandis qu'Ombre nous faisait la fête, comme si elle ne nous avait pas vus depuis un mois.

– Tout va bien, maintenant, a dit le soldat afghan. La bombe est neutralisée.

Il avait parlé en pachto, mais ensuite il a immédiatement répété en dari. Il paraissait avoir compris presque tout de suite que nous étions hazara, que nous parlions dari.

Le soldat étranger serra la main de mère, puis la mienne, en parlant tout le temps d'un ton très animé. Le soldat afghan traduisait ce qu'il disait.

– Voici le sergent Brodie. Il sert dans l'armée de

terre britannique. Il dit que tu as été très courageux de faire ce que tu as fait. Tu as peut-être sauvé de nombreuses vies aujourd'hui, et il veut te remercier. Il veut vous dire autre chose, aussi, au sujet de la chienne. Il n'en a pas cru ses yeux, au début, quand il l'a vue, aucun de nous n'en revenait. Il a tout de suite su que c'était Polly. Comme nous tous. Moi aussi. Il n'y a pas d'autre chien au monde comme Polly. Il dit qu'elle était toujours excitée comme ça quand elle découvrait une bombe. C'est parce qu'elle sait qu'elle a bien fait son travail, et ça la rend vraiment heureuse. Mais le sergent Brodie voudrait savoir pourquoi elle a l'air de si bien vous connaître.

– Bien sûr qu'elle me connaît, ai-je répondu. C'est notre chienne, non ?

Les deux soldats se sont regardés, comme s'ils ne comprenaient pas ce que je leur racontais.

– Votre chienne ? m'a demandé le soldat britannique par l'intermédiaire de l'interprète. Je ne comprends toujours pas. Depuis combien de temps l'avez-vous ? Où l'avez-vous trouvée ?

– À Bamiyan, ai-je répondu. Elle est venue chez nous. Il y a plusieurs mois, un an peut-être.

– *Bamiyan ?*

L'interprète était stupéfait. Ils l'étaient tous les deux.

– Le sergent Brodie dit que c'est impossible, a poursuivi le soldat afghan. Bamiyan est à des centaines de kilomètres en remontant vers le nord. Toute cette histoire est impossible.

Tandis que l'interprète parlait, le soldat a paru soudain regarder nerveusement autour de lui.

– Le sergent Brodie dit que nous ne pouvons pas rester là à bavarder à découvert, a poursuivi l'interprète. Les talibans pourraient nous observer. Ils ont des yeux partout. Ils nous ont déjà tendu des embuscades sur cette route. Mais il veut en savoir plus sur tout ça, sur vous et sur Polly. Il faut aller au village. Nous serons plus en sécurité là-bas.

Ainsi, le sergent Brodie me tenant par la main, les soldats derrière nous, et Ombre courant en tête pour nous montrer le chemin, comme d'habitude, nous sommes retournés au village, où les enfants ont aussitôt accouru autour de nous.

« Un vrai héros »

Aman

C'est ainsi que quelques minutes plus tard, nous nous sommes retrouvés tous ensemble dans une maison du village, avec des vêtements secs sur le dos, que les gens du coin nous avaient donnés à mère et à moi, assis en train de boire du thé dans une pièce où s'entassaient des habitants du village et des soldats, l'interprète et le sergent Brodie. Tous étaient attentifs tandis que je leur racontais comment Ombre était entrée dans notre grotte plusieurs mois, et même plus d'un an auparavant, comment elle était arrivée blessée à la patte et à moitié morte de faim, comment elle avait guéri, et comment nous étions en route vers l'Angleterre pour vivre à Manchester, chez mon oncle Mir qui, un jour, avait serré la main de David Beckham.

Les soldats ont éclaté de rire en entendant mes derniers mots. Apparemment, un ou deux d'entre eux soutenaient Manchester United, et ce David Beckham était aussi leur champion. J'ai donc eu la certitude d'être avec des amis.

Pendant tout ce temps, Ombre était restée couchée près de moi, sa tête sur mes pieds, observant tout le monde dans la pièce.

Quand je me suis tu, le sergent Brodie a été le premier à parler. Il s'est adressé à nous par l'intermédiaire de son interprète.

– Le sergent a quelque chose à vous dire à propos de cette chienne, a-t-il commencé.

L'interprète parlait dari avec un accent auquel je n'étais pas habitué, mais nous le comprenions suffisamment, mère et moi.

Il dit que vous allez avoir du mal à le croire. Il a du mal à le croire lui-même, mais c'est absolument vrai. Il a demandé ce qu'ils en pensaient à tous les soldats qui étaient déjà là il y a environ un an, et ils sont tous tombés d'accord. Il n'y a aucun doute là-dessus. Nous connaissons tous cette chienne. Cette chienne s'appelle Polly, et elle a reniflé plus de bombes au bord des routes – l'armée les appelle EEIs, Engins Explosifs Improvisés – que n'importe quel autre chien de l'infanterie. Soixante-quinze. Avec la bombe d'aujourd'hui, ça fait soixante-seize. Cette chienne a disparu, dit le sergent, il y a environ quatorze mois. Il était là quand c'est arrivé. Et moi aussi.

« Nous étions partis en patrouille, exactement comme aujourd'hui. Ce jour-là aussi, le sergent Brodie était avec nous. C'était lui, le maître-chien de Polly. Polly vivait avec lui et sa famille quand ils rentraient en Angleterre. Le sergent était celui qui l'entraînait, veillait sur elle et vivait avec elle à la base. C'est le meilleur chien renifleur qu'il ait jamais connu. Tout le monde le dit. Bref, nous étions là, en patrouille, le sergent Brodie et Polly devant nous, vérifiant s'il n'y avait pas de bombes le long de la route, comme d'habitude. Quand nous avons vu que Polly avait flairé quelque chose, nous nous sommes tous arrêtés. Et c'est là que les talibans nous ont tendu une embuscade.

« Les échanges de coups de feu qui ont suivi ont duré une heure environ, et quand tout a été fini, nous nous sommes aperçus qu'un de nos hommes, le caporal-chef Banford, était blessé, et que Polly n'était plus là. Elle restait introuvable. Elle avait disparu. Nous l'avons appelée et appelée encore, mais nous ne pouvions pas aller la chercher. C'était trop dangereux.

« Nous avons fait venir un hélicoptère pour évacuer le caporal-chef Banford et l'emmener à l'hôpital le plus vite possible. Ce n'est pas allé assez vite, malheureusement. Il est mort pendant le trajet de la base à l'hôpital. Nous avons recommencé à chercher Polly le lendemain, et nous avons dit à toutes les patrouilles qui sont sorties après nous de continuer à ouvrir l'œil. Mais personne ne l'a jamais revue. Nous avons donc pensé qu'elle avait été tuée. Nous avions perdu deux soldats, ce jour-là. Voilà comment nous la considérions, comme l'une d'entre nous.

L'interprète dut attendre quelques instants avant que le sergent reprenne :

– Le sergent Brodie dit que les talibans visent nos chiens renifleurs dès qu'ils le peuvent – ils savent combien ils nous sont précieux, combien de vies de soldats ils ont sauvées. Le sergent pensait donc qu'elle avait été abattue. C'est ce que tout le monde pensait. Nous avons posé une petite plaque commémorative pour elle, en revenant à la base. Et voilà que nous sortons aujourd'hui, quatorze mois plus tard, et tu es là, qui nous fais de grands gestes pour nous prévenir, et elle est là, qui renifle une bombe, exactement comme nous l'avons vue faire la dernière fois. C'est incroyable. Si j'ai bien compris, cette chienne a parcouru des centaines de kilomètres vers le nord avant de vous trouver à Bamiyan, puis des centaines de kilomètres pour revenir jusqu'ici. Je sais que ça peut paraître idiot, mais je pense qu'elle savait où elle allait. Il fallait qu'elle trouve quelqu'un qui s'occupe d'elle, c'est-à-dire vous, et ensuite elle savait qu'elle devait revenir à l'endroit où elle avait sa place. D'une certaine façon, elle devait savoir comment revenir chez elle, un peu comme les hirondelles.

Quand il a prononcé cette dernière phrase sur Ombre qui savait comment revenir chez elle, j'ai senti qu'il devait avoir raison. Partout où nous étions allés, en partant de Bamiyan, Ombre avait toujours paru savoir où aller. C'était nous, mère et moi, qui la suivions, et pas l'inverse. Beaucoup d'autres choses prenaient un sens pour moi, à présent, par exemple, la manière dont Ombre courait toujours devant nous, le nez au sol, flairant le bord de la route. Elle avait été entraînée à le faire. C'était un chien renifleur de l'armée de terre, exactement comme celui dont nous avait parlé le camionneur qui nous avait amenés jusqu'à Kandahar.

– Crois-moi, quand les gars vont entendre ça à la base, poursuivait l'interprète, traduisant les paroles du sergent, tu vas être un vrai héros pour eux. C'est quand même toi qui nous as prévenus qu'il y avait une bombe. Et c'est toi qui as sauvé Polly, qui t'en es occupé, qui nous l'as ramenée. Ils vont être aux anges, et la fille du sergent aussi, qui est rentrée en Angleterre, à présent. Elle adore cette chienne. Toute la famille l'aime, et le sergent lui-même encore plus que les autres. Oui, tu seras un vrai héros.

Argenté, comme une étoile

Aman

En repartant, le sergent a vu que je boitais, et mère lui a expliqué, par l'intermédiaire de l'interprète, que j'avais mal à un pied. Alors le sergent Brodie m'a porté sur son dos tout le chemin jusqu'à la base. Personne n'avait plus fait ça pour moi depuis que mon père était mort. C'était si bon !

Et le sergent avait raison. À la base, ils ont été aux petits soins pour moi, pour nous tous, et surtout pour Ombre. Rien n'était trop beau pour nous. Nous avons dormi dans un lit chaud, mangé tout ce que nous voulions, pris autant de douches que nous le désirions.

Ils avaient une femme médecin aussi, qui a jeté un coup d'œil à mon ampoule. Elle a dit qu'elle s'était infectée, que nous devions rester quelque temps à la base, et ne pas marcher dessus, jusqu'à ce qu'elle guérisse. Ils ont même laissé mère téléphoner à oncle Mir en Angleterre.

Mère, Ombre et moi, sommes donc restés à la base – pendant une semaine environ, je crois. Ils nous ont donné une petite chambre pour nous tout seuls, où mère dormait beaucoup, et quand mon pied a commencé à aller mieux, j'ai pu jouer au foot avec les soldats.

C'est là aussi que j'ai appris à jouer au Monopoly. C'est le sergent Brodie qui m'a montré comment faire. J'ai appris mes premiers mots d'anglais, et il a appris un peu de dari aussi. Le sergent Brodie, Ombre et moi, passions beaucoup de temps ensemble, quand il n'était pas trop occupé, quand il ne partait pas en patrouille. Comme tous les autres soldats, il aimait prendre des photos d'Ombre et de moi avec son téléphone portable pour les envoyer chez lui.

Un jour, il m'a montré une vidéo de sa fille et de sa femme, qu'elles avaient prise sur leur portable. Elles me saluaient avec de grands gestes, de si loin, d'Angleterre, et me criaient « merci » pour avoir sauvé Polly. J'aurais dû être content, mais je ne l'étais pas. Quelque chose m'inquiétait. Et inquiétait Ombre aussi, je le sentais.

Je savais qu'il nous faudrait bientôt partir, dès que mon ampoule irait mieux et, d'une certaine façon, Ombre semblait le sentir, elle aussi. Plus les jours passaient, plus Ombre avait envie de rester souvent avec nous. Mais je voyais bien qu'elle aimait tout autant être avec les soldats aussi, et en particulier avec le sergent Brodie. Il avait toujours gardé la balle préférée de la chienne, celle avec laquelle elle aimait tant jouer, en souvenir d'elle. Les soldats la lui lançaient très souvent, elle courait la chercher à travers toute la cour, et la rapportait, mais sans la lâcher tant qu'on ne lui donnait pas quelque chose à manger en échange.

Mais elle ne jouait jamais avec eux très longtemps. Au bout d'un moment, elle revenait toujours s'asseoir à côté de moi, je m'apercevais alors qu'elle me regardait, et nous savions tous deux à quoi nous pensions. Est-elle Polly ? Est-elle Ombre ? Viendrait-elle avec nous quand nous partirions ?

Je connaissais la réponse. Elle connaissait la réponse. Je crois que nous continuions tous les deux à espérer que nous avions tort. Je sentais qu'elle redevenait peu à peu elle-même, une chienne de l'armée. La chienne du sergent Brodie. Polly, et non plus Ombre. Elle continuait de dormir dans notre chambre, et venait souvent se coucher à côté de moi, en posant son museau sur mon pied. J'espérais toujours qu'elle partirait avec nous, mais je savais déjà au fond de moi qu'il n'en serait rien, qu'elle resterait à la base avec les soldats, qu'elle était revenue au sergent Brodie, que c'était là qu'était sa vie. Elle le savait aussi, et ça la rendait aussi triste que moi, et mère aussi – qui m'a souvent dit plus tard qu'elle n'aurait jamais pu imaginer qu'un jour elle se serait autant attachée à un chien.

Je crois que tous les soldats voyaient comme j'étais triste. Ils avaient beau être épuisés quand ils revenaient à la base après être allés en patrouille, avec leur fusil et leurs casque, ils avaient toujours un sourire pour moi. Ils savaient tous à présent pourquoi nous étions sur les routes, ce que nous fuyions, ils savaient comment mère avait été traitée par la police, et comment grand-mère était morte.

Le sergent Brodie est venu nous voir la veille au soir de notre départ, avec l'interprète, qui nous a dit que les soldats avaient réuni un peu d'argent pour nous aider à poursuivre notre voyage, une collecte, il appelait ça. En voyant son air triste, j'ai tout de suite deviné ce qui allait venir après. Il a tout dit par l'intermédiaire de l'interprète. Il avait du mal à me regarder.

– Au sujet de Polly, je suis désolé, Aman, mais elle doit rester ici. C'est une chienne de l'armée. Tu pourras peut-être revenir la voir, une fois que vous serez arrivés en Angleterre. Ce serait bien, non ?

Il essayait simplement d'amortir le choc, je m'en rendais bien compte. Mais nous ne savions même pas si nous arriverions un jour en Angleterre, sans Ombre pour nous montrer le chemin.

Je me suis mis à pleurer quand il est sorti. Je ne pouvais pas m'en empêcher. Mère a dit que c'était mieux comme ça, que nous nous en sortirions très bien tout seuls, à partir de maintenant, si Dieu le voulait.

Et cette fois, a-t-elle ajouté, nous ferions attention à notre argent. C'est pourquoi, Ombre couchée à côté de moi sur le lit, j'ai passé la plus grande partie de notre dernière nuit à la base à creuser les talons de nos chaussures. C'était le meilleur endroit auquel nous avions pensé pour cacher notre argent. Ombre ne me quittait pas des yeux. Elle savait sûrement que c'étaient les dernières heures que nous passerions ensemble.

Je supportais difficilement de la regarder.

Le lendemain matin, au moment de notre départ, les soldats étaient là, et Ombre aussi était là. Au signe du sergent Brodie, les soldats ont poussé trois hourras, puis le sergent s'est avancé pour nous saluer. Il a glissé quelque chose dans la paume de ma main. L'interprète était là pour l'aider, comme d'habitude.

– Voici ton insigne du régiment, Aman. Le sergent dit que tu l'as mérité. Il dit qu'il espère que vous arriverez sains et saufs en Angleterre. Il dit qu'une fois là-bas, si vous avez besoin d'aide, il ne faut pas hésiter à le lui faire savoir. Il sera là. Et si vous voulez revoir Polly, demandez-lui, tout simplement. Vous pouvez toujours le contacter par l'intermédiaire du régiment. Il te remercie aussi de lui avoir ramené Polly, d'avoir sauvé la vie de ses hommes, il dit qu'il n'oubliera jamais ce que tu as fait pour nous, pour tous les gars, pour le régiment.

Je me suis accroupi pour dire au revoir à Polly une dernière fois, lui caresser la tête et les oreilles. Mais je ne pouvais pas parler. Si j'ouvrais la bouche, je savais que je pleurerais, et je ne voulais pas pleurer, pas devant les soldats.

Ensuite, ils nous ont conduits hors de la base, et je rêvais qu'Ombre se lève d'un bond et nous rejoigne. Mais je savais qu'elle ne le ferait pas, qu'elle ne le pourrait pas.

Je ne l'ai plus jamais revue.

Les soldats nous ont emmenés en voiture jusqu'à la ville la plus proche, et ils nous ont mis dans un car. Je restais assis là, serrant mon insigne dans ma main. Je l'ai regardé alors pour la première fois. Il était argenté, comme une étoile, avec ce qui ressemblait à une image de remparts de château dessus. Quelque chose était écrit en dessous, que je n'arrivais pas à lire. (Il était écrit « Royal Anglian [1] ». Je l'ai toujours. Je l'emporte partout avec moi.)

Nous étions de nouveau en route pour l'Angleterre, pour aller chez oncle Mir, pour Manchester. Assis là dans le car, je me rappelle que j'essayais de penser de toutes mes forces à David Beckham,

---

1. Royal Anglian Regiment : régiment d'infanterie de l'armée britannique.

pour ne plus me sentir aussi triste de quitter Ombre. Mais ça ne marchait pas. Alors, j'ai regardé mon étoile, et je l'ai serrée très fort. Ça m'a fait du bien. Cette étoile d'argent m'a toujours fait du bien, depuis ce jour-là.

> « Toute l'histoire,
> j'ai besoin d'entendre toute
> l'histoire. »

Grand-père

Pendant tout le temps où Aman m'avait raconté son histoire, il n'avait quasiment pas levé les yeux vers moi. J'avais l'impression qu'en la racontant, il avait besoin de revivre ses souvenirs sans la moindre distraction. Il parlait si doucement qu'il aurait aussi bien pu se parler tout seul, sa voix n'était souvent qu'un faible murmure. Parfois, je devais me pencher en avant pour entendre ce qu'il disait. Mais tout au long de son récit, sa voix était restée égale, jusqu'à la dernière partie, quand il avait dû quitter Ombre. J'avais alors entendu qu'il refoulait ses larmes.

Lorsqu'il se leva brusquement et se précipita hors du parloir, je me doutai aussitôt que c'était parce qu'il ne voulait pas que je le voie pleurer. Je savais aussi qu'il ne reviendrait peut-être pas, qu'il serait peut-être trop fier pour me regarder en face après ça. Mais je restai quand même là à attendre, car je sentais qu'il y avait une chance pour qu'il revienne. Après tout, il était déjà revenu une fois, non ?

Assis tout seul à la table, j'aurais tellement voulu que Matt soit avec moi ! Aman ne se serait pas enfui ainsi si Matt avait été là. Ils étaient amis, les meilleurs amis qui soient. Matt aurait su comment lui parler.

C'est à ce moment-là, alors que l'histoire d'Aman était encore toute fraîche dans mon esprit, que j'ai commencé à envisager sérieusement la possibilité de faire quelque chose pour les aider, sa mère et lui –, et de plus me contenter de leur rendre visite.

Plus je restais assis là longtemps à penser à la pauvreté de leur vie à Bamiyan, aux épreuves que cette famille avait traversées, à leur détermination à sortir d'Afghanistan et à venir en Angleterre, plus la pensée de les voir traités comme des criminels dans cet endroit m'était insupportable. Il y avait là une terrible injustice. L'histoire d'Aman avait réveillé le journaliste en moi. Je voulais en savoir plus.

Je voulais tout savoir.

Lorsque Aman revint quelques minutes plus tard, sa mère était de nouveau avec lui. Je ne m'y attendais vraiment pas. Il y avait tant de choses que j'avais besoin de savoir ! J'avais espéré que s'il revenait, il pourrait reprendre son récit juste là où il l'avait laissé. Mais je savais qu'Aman était beaucoup plus timide et réservé quand sa mère était là, et je n'étais pas sûr du tout qu'il parle aussi librement ou facilement qu'il l'avait fait auparavant. Je vis que sa mère avait pleuré, qu'elle était toujours très angoissée, très tendue. Elle se balançait d'avant en arrière, en serrant son mouchoir des deux mains.

La mère d'Aman se mit alors à parler, mais à son fils seulement, dans sa propre langue. Lorsqu'elle eut fini, il me traduisit ses paroles :

– Mère dit qu'elle devait venir vous expliquer elle-même que nous ne pouvons pas rentrer en Afghanistan, que la police la torturerait de nouveau. Elle dit que les talibans ne sont pas vaincus, qu'ils sont partout, dans la police, partout. Ils la tueront, exactement comme ils ont tué mon père. Elle dit que ça fait six ans maintenant que nous habitons en Angleterre. C'est notre pays. Elle dit que notre avocat ne peut plus nous aider, que le gouvernement ne nous laissera même plus faire appel. Elle a prié Dieu pour que vous puissiez nous aider. Son rêve lui dit que vous le ferez, mais elle est venue vous le demander elle-même, vous supplier de réaliser son rêve.

Je ne savais pas quoi répondre, je savais seulement qu'il fallait que je réponde quelque chose, et quelque chose d'encourageant aussi, mais sans faire de promesses que je ne pourrais pas tenir.

— Dis-lui que je ferai tout ce que je pourrai, que je le ferai vraiment, répondis-je. Mais elle doit comprendre, et toi aussi, Aman, que je ne suis pas avocat. Je ne sais pas très bien ce que je peux faire, ce que n'importe qui peut faire. En revanche, ce que je sais, c'est que pour tenter quoi que ce soit, j'aurai besoin que tu me racontes toute votre histoire, depuis le moment où vous avez laissé Ombre à la base et où vous avez pris le car, jusqu'à maintenant, jusqu'à aujourd'hui. Comment êtes-vous arrivés jusqu'en Angleterre ? Comment avez-vous vécu, et qu'est-ce qui s'est passé exactement quand la police vous a amenés ici ? Plus j'en sais, mieux c'est. Il faut que je sache tout.

Aman traduisit rapidement mes paroles à sa mère. Elle était plus calme, à présent, plus posée. Puis il se tourna de nouveau vers moi, inspira profondément, et reprit son récit, mais à contrecœur, un peu comme s'il ne voulait vraiment pas se rappeler le reste de l'histoire, comme s'il redoutait de devoir revivre tout ce qui s'était passé en le racontant.

« Dieu est bon. »

Aman

D'accord, si vous pensez que ça peut aider, je veux bien continuer. Le car. Nous étions dans le car. C'était un car confortable, le plus confortable que j'aie jamais connu. Ombre me manquait, bien sûr. Mais à part ça, j'avais le moral. Je pense que j'imaginais que ce car nous conduirait directement jusqu'en Angleterre. Je n'avais que huit ans, il ne faut pas l'oublier. Je n'avais aucune idée précise de l'endroit où se trouvait l'Angleterre, de la distance à laquelle c'était, ni du temps qu'il nous faudrait pour y arriver.

Je crois que si nous avions su dès le départ que le voyage serait aussi long et aussi terrible, je ne serais jamais monté dans ce car. En fait, ce trajet allait être le dernier où nous serions confortablement installés ou contents, et cela pour très longtemps.

Mère était malade d'inquiétude en arrivant à la frontière avec l'Iran, je le voyais bien. Elle m'a dit alors que nous allions jouer à un jeu. Si les soldats montaient à bord pour nous contrôler, nous ferions semblant de dormir. C'est donc ce que nous avons fait. Je les ai entendus marcher dans l'allée du car, mais ils nous ont dépassés sans s'arrêter. J'ai attendu que le car reparte avant d'oser ouvrir les yeux. Nous étions passés !

– Tu vois, Aman, m'a-t-elle chuchoté, Dieu est bon. Dieu nous aide.

Elle m'a expliqué ensuite qu'elle avait téléphoné depuis la base de l'armée au contact d'oncle Mir à Téhéran, la prochaine grande ville, et qu'il nous attendrait à l'arrivée, qu'il s'occuperait de tout. Il ne fallait donc plus s'inquiéter de rien. Je pense que j'ai dû dormir la plupart du temps, car je ne me rappelle pas grand-chose de ce voyage, si ce n'est qu'il était interminable.

L'ami d'oncle Mir était là pour nous attendre, comme mère l'avait prévu. Il nous a emmenés dans les rues, à pied, en nous prévenant qu'il ne fallait parler à personne, qu'il ne fallait regarder personne dans les yeux, et surtout pas les policiers. Il nous a dit que s'ils nous prenaient, ils nous mettraient en prison, ou nous renverraient en Afghanistan. Nous avons donc fait exactement ce qu'il nous conseillait, bien sûr. Il nous a accompagnés d'abord voir un homme, qui a demandé un peu d'argent à mère, puis un autre, que l'ami d'oncle Mir appelait « le passeur » et qui lui a pris encore plus d'argent.

Je n'aimais pas ces gens. Je ne leur faisais pas confiance non plus. Ils nous traitaient comme des moins que rien. Je me sentais perdu dans un monde étrange et hostile, sans Ombre pour nous montrer le chemin, comme elle le faisait avant. Mais j'avais mon étoile d'argent. Je la gardais cachée dans ma poche. Je ne la sortais jamais, de peur que quelqu'un la voie. Je la serrais fort, dès que j'avais peur, c'est-à-dire souvent, et toujours avant de m'endormir, le soir. C'était mon talisman, mon porte-bonheur.

L'ami d'oncle Mir nous répétait sans arrêt que tout irait bien, que désormais nous serions pris en charge pour tout le trajet jusqu'en Angleterre. Voyage, nourriture, nous aurions tout ce qu'il nous faudrait. Il n'y aurait pas de problèmes, disait-il, pas le moindre problème.

Nous le croyions. Nous lui faisions confiance. Il le fallait bien. Nous n'avions pas le choix, n'est-ce pas ? En fait, comme nous allions bientôt le voir, c'était le début d'un cauchemar. Ils nous ont fait descendre dans une cave, et nous ont dit que nous devions y rester jusqu'à ce que tout soit réglé. Nous y sommes restés pendant des jours et des jours. Ils nous donnaient à manger et à boire, mais ils ne nous laissaient pas sortir, sauf pour aller aux toilettes. Mère a dit que c'était comme retourner dans la cellule de la police où on l'avait mise, en Afghanistan.

Enfin, ils sont venus, un soir, ils nous ont emmenés dans une ruelle sombre et nous ont fait monter à l'arrière d'un pick-up. Je me rappelle avoir regardé dehors et vu toutes les lumières brillantes de la ville. À un moment, alors que nous attendions à un feu rouge, j'ai dit à mère que nous devrions sauter à bas de la camionnette et nous enfuir, que nous nous en sortirions mieux tout seuls. Mais le pick-up est reparti, et la chance de nous échapper était passée.

Nous n'en avons plus jamais eu d'autre.

Le pick-up s'est arrêté quelque part à la périphérie de la ville. Des gens nous attendaient. Ils nous ont fait descendre, puis monter dans un énorme camion. Au début, il semblait vide, mais il ne l'était pas. Au fond, il y avait un grand container en métal, dont la porte était ouverte. Ils nous ont poussés à l'intérieur, nous ont jeté deux couvertures, nous ont dit de ne pas faire de bruit, et sont repartis. Il faisait complètement nuit, là-dedans, et froid. Nous nous sommes blottis dans un coin. Mère me répétait tout le temps que tout irait bien, qu'oncle Mir savait ce qu'il faisait, que c'étaient des braves gens qui s'occupaient de nous, et que tout finirait le mieux possible, si Dieu le voulait.

Bien des heures plus tard, lorsque nous avons entendu un bruit de voix à l'extérieur, et que le camion a démarré, puis s'est mis en route, j'ai commencé à penser que mère avait raison, raison sur tout, et que le pire était peut-être derrière nous. Je me répétais sans cesse que nous serions bientôt en Angleterre chez oncle Mir, que nous y serions au chaud pour dormir, que nous aurions l'eau courante, la télévision, que je pourrais voir jouer Manchester United, et voir David Beckham. Je pourrais même peut-être le rencontrer.

Mais ce n'étaient pas seulement ces pensées qui m'aidaient à tenir le coup, c'étaient mon étoile d'argent et les souvenirs d'Ombre. Je la revoyais trotter toujours devant nous, en remuant la queue, s'arrêter de temps en temps, se retourner et nous regarder, pour s'assurer que nous la suivions, ses yeux nous disant que ce qui comptait, c'était de continuer à avancer, comme elle. Il me suffisait de penser à Ombre, de voir son image dans ma tête et, malgré la faim, le froid ou la peur, je me sentais un peu mieux, même si ça ne durait pas très longtemps.

J'étais à moitié endormi, lorsque le camion s'est de nouveau arrêté. Nous avons entendu des pas à l'intérieur de la remorque, puis des voix juste devant le container.

– La police, a murmuré mère. C'est la police. Elle nous a trouvés. Non, pas ça, mon Dieu, je t'en prie ! Je t'en prie, mon Dieu, pas ça !

Elle m'entourait de ses bras, me serrait de toutes ses forces, m'embrassait et m'embrassait encore, comme si c'était pour la dernière fois.

Le petit train rouge

Aman

La porte du container s'est ouverte. La lumière du jour nous a aveuglés. Au début, nous ne pouvions pas voir qui était là.

Ce n'était pas la police.

Nous avons compris que c'était le passeur et sa bande, les mêmes gens qui nous avaient mis là. Ils nous ont dit que nous pouvions sortir, si nous voulions, pour nous dégourdir les jambes, et que nous attendions d'autres personnes, qui devaient nous rejoindre.

Nous étions sur une sorte d'aire de chargement, avec des camions partout, mais très peu de monde. Nous aurions pu nous enfuir tout de suite, mais l'un des hommes de la bande du passeur semblait toujours nous surveiller, et nous n'avons pas osé.

Quelques minutes plus tard, il était déjà trop tard.

Les autres réfugiés sont arrivés, et nous avons tous été ramenés comme des moutons dans le même container, on nous a donné quelques couvertures, un peu de fruits et une ou deux bouteilles d'eau. La porte s'est refermée sur nous, et le passeur nous a crié qu'il ne fallait appeler sous aucun prétexte, ou nous serions pris et emmenés en prison. Nous avons entendu qu'on chargeait le camion autour de nous.

Il m'a fallu un moment, je m'en souviens, avant que mes yeux s'habituent de nouveau à l'obscurité et que je puisse voir les autres.

Tandis que le camion démarrait, nous sommes tous restés assis là en silence, à nous regarder. J'ai compté que nous étions douze en tout, la plupart venaient d'Iran, une famille – mère, père et petit garçon – venait du Pakistan, et à côté de nous, il y avait un vieux couple d'Afghans, originaires de Kaboul.

C'est Ahmed, le petit garçon pakistanais, qui nous a amenés à nous parler les uns aux autres. Il est venu vers moi pour me montrer son jouet, parce que j'étais le seul autre enfant là-dedans, et parce qu'il a senti qu'il pouvait me faire confiance, je pense – c'était un train en plastique rouge vif, je m'en souviens, et il en était très fier.

Il s'est agenouillé pour me montrer comment son train roulait par terre, et a raconté à tout le monde que son grand-père travaillait dans les chemins de fer au Pakistan. Alors, en secret, je lui ai montré mon insigne, l'étoile d'argent que le sergent Brodie

100

m'avait donnée. Ahmed l'a adoré. Il m'a posé plein de questions sur lui, et sur un tas d'autres choses. Il m'aimait bien, disait-il, parce que j'avais un prénom qui ressemblait au sien. Au bout de très peu de temps, nous nous sommes raconté nos histoires. Au début, nous avons beaucoup ri, Ahmed et moi, nous avons joué tous les deux, et tout le monde s'est senti réconforté. Mais ça n'a pas duré. Je pense que nos rires ont duré aussi longtemps que l'eau et les fruits.

Je ne sais pas où ce camion nous emmenait, ni combien de jours, combien de nuits nous sommes restés enfermés dans ce container. On ne nous a pas laissés sortir, pas une seule fois, même pas pour aller aux toilettes, rien. Et nous n'osions pas crier. On ne nous a plus apporté d'eau ni de nourriture. Nous gelions la nuit, et nous étouffions le jour.

Quand j'étais éveillé, je n'avais qu'une envie, me rendormir, pour oublier ce qui se passait, oublier à quel point j'avais envie à chaque instant d'eau et de nourriture. Se réveiller était ce qu'il y avait de pire. Quand nous nous parlions les uns aux autres, désormais, c'était généralement pour essayer de deviner où nous étions, si nous étions encore en Iran, en Turquie ou peut-être en Italie. Mais tout ça n'avait aucun sens pour moi, parce que je n'avais pas la moindre idée de l'endroit où se trouvaient ces pays.

La plupart de ceux qui étaient là, comme Ahmed et ses parents, disaient qu'ils voulaient rejoindre l'Angleterre, comme nous, mais quelques-uns allaient en Allemagne ou en Suède. Une personne ou deux avaient déjà fait une tentative avant, comme le couple de Kaboul, un homme et une femme assez âgés, qui voulaient aller vivre chez leur fils en Angleterre, mais qui avaient déjà été pris deux fois et renvoyés. Ils ne renonceraient jamais, disaient-ils, ils essaieraient aussi longtemps qu'il le faudrait.

Mais à la fin, plus personne ne racontait d'histoires, plus personne ne parlait, on n'entendait plus que les pleurs, les gémissements, et les prières. Nous priions tous. Pour moi, ce voyage dans ce camion était comme la traversée d'un long tunnel, sans lumière au bout. Il n'y avait pas d'air à respirer non plus, et c'était ça le pire. Les gens toussaient et étouffaient, Ahmed vomissait, aussi. Mais il tenait toujours son petit train rouge à la main.

L'odeur, je n'ai jamais oublié l'odeur.

Ensuite, je pense que j'ai dû perdre connaissance, parce que je ne me rappelle plus grandchose. Quand je me suis réveillé, sans doute quelques jours plus tard, je ne sais pas, le camion s'était arrêté. C'étaient peut-être les cris et les pleurs qui m'avaient réveillé, parce que je n'entendais plus que ça. Mère et les autres étaient debout et cognaient contre la paroi du container, en hurlant qu'on les laisse sortir.

Le temps qu'ils viennent nous chercher et qu'on me sorte de là, je n'étais plus qu'à moitié vivant.

Mais j'ai eu plus de chance que le petit Ahmed.

Quand son père l'a sorti à la lumière du jour, nous avons vu sans aucun doute possible qu'il était mort. Sa mère gémissait de douleur. C'était comme un cri de souffrance qui venait du plus profond d'elle-même, des pleurs qui n'en finiraient jamais pour elle, je le savais. Je n'ai jamais entendu un son plus atroce, et j'espère ne plus jamais l'entendre.

Plus tard, ce jour-là, après qu'il a été enterré, sa mère m'a donné son petit train pour que je le garde, parce que j'avais été comme un frère pour Ahmed, a-t-elle dit.

J'ai toujours son petit train rouge, chez nous, à Manchester. Les policiers, quand ils sont venus nous emmener, ne m'ont pas laissé le prendre. Je l'avais oublié, et j'ai voulu aller le chercher, mais ils ne m'ont pas permis de le faire. On n'avait pas le temps, disaient-ils. Il est sur le rebord de la fenêtre, dans ma chambre.

Je rêve souvent d'Ahmed, et c'est presque toujours le même rêve. Il est avec Ombre, et avec le sergent Brodie, ils jouent tous ensemble devant les remparts d'un château. Il fait nuit, le ciel est un plafond peint couvert d'étoiles, et Ahmed lance une balle à la chienne.

C'est drôle comme dans les rêves, des gens qui ne se connaissent même pas peuvent se retrouver dans des endroits où ils n'auraient jamais pu être.

« Tous frères et sœurs, tous ensemble »

Aman

Mère m'a dit, quand nous sommes sortis de ce camion, que nous étions en Turquie.

Je me fichais pas mal de là où nous étions, en réalité. Tout est assez confus dans ma tête, après ça. J'étais malade, je m'en souviens, mais il y avait un tas de choses dont je ne veux pas me souvenir. Il y a eu d'autres voyages en camion, un en mer où nous avions tous le mal de mer, mais même à ce moment-là, ce n'était pas aussi horrible que la période que nous avions passée dans le container. C'était comme un trou noir, là-dedans.

Ensuite, nous avons voyagé dans plusieurs pick-up. Nous sommes même montés à cheval, une fois, à la montagne, je ne sais pas quelle montagne c'était. À un moment, nous avons dormi dans une cabane de berger, et nous y sommes restés plusieurs jours, parce qu'il neigeait beaucoup dehors. Mais j'étais habitué à la neige. Nous en avions beaucoup là-bas, dans la vallée de Bamiyan. Les étoiles sont plus brillantes quand le sol est couvert de neige, et le ciel semble plus près de nous.

Nous avons marché à pied aussi, en évitant les patrouilles frontalières, la nuit. J'ai entendu des coups de feu, une fois, mais notre guide a expliqué que les patrouilles faisaient ça uniquement pour effrayer les gens et les éloigner de la frontière. Nous avons continué notre route, et je ne sais comment, nous avons réussi à passer. Mère, elle, savait toujours comment. C'était grâce à Dieu qui veillait sur nous, disait-elle.

Ensuite, il y a eu encore un long voyage en camion – au moins, cette fois, on nous a donné à boire, à manger, et nous pouvions respirer. Ce n'était pas trop pénible. Peut-être que nous nous y étions habitués. Depuis le temps, nous avions tous appris à nous connaître, et nous savions que nous étions ensemble dans cette épreuve. Ça nous aidait énormément.

Le vieux couple de Kaboul ne parlait jamais beaucoup, mais il nous remontait le moral, en nous répétant jour après jour que nous approchions du but, que ce ne serait plus très long. C'était ce que nous voulions tous croire, c'est pourquoi nous y croyions, j'imagine. Cette vieille femme et son mari avaient un faible pour moi, parce que je leur rappelais leur fils quand il était petit, me disaient-ils. En fait, tout le monde s'occupait de moi, veillait toujours à ce que j'aie assez à boire et à manger. Je me suis souvent demandé pourquoi ils étaient tous si gentils avec moi. Je pense qu'ils ne voulaient pas voir mourir un autre enfant.

D'une certaine façon, chacun me considérait un peu comme son fils, au cours de ce voyage.

Je savais, parce que tout le monde en parlait sans arrêt et avec inquiétude, que la dernière partie du voyage, quand il faudrait traverser la Manche, serait la plus dangereuse. Le seul moyen d'y arriver était de se cacher dans un camion, d'après ce qu'on disait, en espérant simplement ne pas être pris. Mais beaucoup de gens se faisaient prendre.

Mère était terrorisée à l'idée d'être arrêtée. C'est à peu près à cette période qu'elle a eu sa première crise de panique. Dans un sens, c'est cette crise qui nous a sauvés. Le vieux couple de Kaboul s'est occupé d'elle, l'a calmée. Je pense que c'est pour ça qu'ils nous ont choisis, à cause de la crise d'angoisse de mère, et peut-être aussi parce que je leur rappelais leur fils.

Le vieil homme et sa femme en avaient parlé entre eux depuis un certain temps, nous ont-ils confié, et ils avaient décidé qu'ils voulaient nous aider. Ils ne pouvaient pas aider tout le monde. Ils auraient bien voulu, mais ce n'était pas possible.

Ils nous ont dit qu'il y avait des policiers partout près de la côte française. Des centaines de personnes attendaient de trouver le moyen de traverser la Manche pour arriver en Grande-Bretagne. Un tas de passeurs nous proposeraient une place à l'arrière d'un camion, mais c'étaient tous des escrocs. Ils voulaient uniquement notre argent.

Après ce qui nous était arrivé, nous voulions bien le croire, non ? Les passeurs pouvaient toujours nous laisser monter dans un camion, nous ont-ils expliqué, mais la police et les gens de l'immigration étaient très méthodiques, ces derniers temps, ils contrôlaient tous les camions, tous, les uns après les autres. Nous aurions de la chance si nous arrivions à passer au travers. C'est comme ça que le vieil homme et sa femme avaient été pris, les deux dernières fois qu'ils avaient essayé. À présent, ils avaient un plan, nous ont-ils dit. Peut-être qu'il marcherait, peut-être pas, mais tout ce qu'ils savaient, c'était qu'il était bien meilleur que celui qui consistait à tenter sa chance à l'arrière d'un camion. Il n'y avait rien à payer, ont-ils répondu, quand mère leur a posé la question. Nous étions tous afghans, n'est-ce pas ? Tous frères et sœurs, tous ensemble.

Maintenant, si vous voulez, je vais vous raconter comment nous sommes arrivés en Angleterre. Nous avons traîné pendant longtemps avec un tas de réfugiés comme nous dans une sorte de camp

– près de la mer, en France. Ce n'était pas trop mal. Nous avions un abri. Nous vivions tous dans des tentes, à l'intérieur d'un immense bâtiment.

Mère, le vieux couple de Kaboul et moi, nous partagions la même tente. Ce qui était bien, c'est qu'il y avait des dizaines d'autres enfants, et que nous pouvions jouer au foot. Parfois, nous formions des équipes – vous savez, Manchester United contre Barcelone, par exemple. Vous devinez de quel côté je jouais.

Le vieux couple avait un téléphone portable, ce qui a permis à mère de parler une ou deux fois à oncle Mir à Manchester. Moi aussi, je lui ai parlé, mais juste une fois. Il m'a dit que Manchester United avait gagné la veille. Ils avaient battu Liverpool deux à zéro, et David Beckham avait été le meilleur joueur sur le terrain. Il m'a répété qu'il attendait avec la plus grande impatience que nous venions vivre chez lui et sa femme Mina, et de pouvoir m'emmener voir jouer Manchester United.

Je me rappelle que mère était terrifiée la nuit où nous nous sommes évadés du camp. Moi, j'étais simplement excité. Nous sommes partis ensemble, le vieux couple de Kaboul et nous et, cette nuit-là, nous n'étions pas les seuls à sortir du camp. Nous nous sommes faufilés par un trou de la clôture, puis nous avons couru dans l'obscurité. Ensuite, nous avons marché dans la campagne pendant ce qui m'a semblé durer une éternité. Il y avait des chiens qui aboyaient. Je m'en souviens, et ça peut paraître stupide, mais pendant un moment, un moment seulement, je me suis demandé si Ombre ne nous avait pas suivis pendant tout ce temps, si elle ne nous avait pas suivis à la trace, grâce à son nez de chien renifleur. C'est idiot, non ?

Nous avons descendu un sentier, puis nous sommes arrivés sur une petite route. Nous l'avons prise pendant un bout de temps, jusqu'à un carrefour. À peine quelques minutes plus tard, une voiture est arrivée, qui tirait une caravane. Nous avons rapidement compris, mère et moi, que le conducteur était le fils du vieux couple, celui qui me ressemblait quand il était petit, comme tous deux me l'ont rappelé. Tout a été très rapide. Le fils nous a fait monter tous les quatre dans la caravane, puis nous a fait ramper sous le lit, où nous nous sommes serrés les uns contre les autres. La porte s'est ensuite refermée sur nous, et nous avons entendu qu'il la verrouillait.

– Si nous avons de la chance, a dit le vieil homme, nous serons en Grande-Bretagne dans deux ou trois heures, peut-être même moins. Personne ne doit parler, pas un mot !

– Et voilà, nous n'avons pas parlé, et personne ne nous a découverts. C'est ainsi que nous sommes arrivés en Angleterre, clandestinement, au fond d'une caravane. Oncle Mir et tante Mina nous ont rejoints dans une petite station-service – j'imagine que tout avait été arrangé par téléphone avec mère. Nous avons dit au revoir au vieux couple, et oncle Mir nous a conduits chez lui, à Manchester, dans son taxi. Il était aussi bavard qu'au téléphone. Il était tellement content de nous voir qu'il a quasiment parlé pendant tout le trajet.

Le lendemain, oncle Mir nous a accompagnés au commissariat de police de Manchester pour déposer une demande d'asile, nous faire enregistrer comme demandeurs d'asile. Plus on le fait vite, mieux c'est, nous a-t-il expliqué. Nous étions si heureux, mère et moi ! Nous pensions que ça y était, que nous avions réussi à nous installer en Angleterre. Nous croyions être en sécurité, désormais.

Mais nous ne l'étions pas. Loin de là.

« C'est là qu'est notre vie, à présent. »

Aman

Tout ça, c'était il y a environ six ans. Et c'étaient de bonnes années, aussi. Oncle Mir s'est occupé de nous tout le temps, exactement comme il l'avait promis. Je ne sais pas ce que nous aurions fait sans lui.

Mais il a été opéré à l'hôpital, c'est pour ça qu'il ne peut pas venir nous voir ici. Il dit qu'il viendra dès qu'il ira mieux, enfin… si nous sommes encore là. Il nous téléphone tous les jours. Nous habitions un petit appartement, juste au-dessus de celui de tante Mina et d'oncle Mir, et le bureau de sa petite compagnie de taxi est juste à côté. Il me demande d'assurer la permanence téléphonique, parfois, avec tante Mina, pour les aider. C'est amusant. J'aime bien ça.

J'aime ce pays, aussi. En tout cas, je l'aimais jusqu'à il y a un mois et six jours quand ils nous ont amenés ici. Là-bas, chez nous à Manchester, nous avons vraiment tout ce qu'il nous faut : assez à manger, l'eau courante, de l'eau chaude aussi. Ça change de la grotte de Bamiyan. Une fois par semaine, oncle Mir m'emmène à la mosquée, et environ une fois par mois, nous allons voir un match de Manchester United. On ne peut pas y aller plus souvent – c'est trop cher.

Oncle Mir me traite comme un fils. Nous jouons au Monopoly, au Scrabble, aux échecs – on joue à n'importe quoi. Il adore les jeux de société. Je le bats au Monopoly, comme je vous bats, vous. Mais il gagne toujours au Scrabble. Un jour, c'est moi qui le battrai. Et j'ai vu David Beckham. Je ne lui ai pas serré la main, mais presque. En tout cas, j'ai eu un autographe de lui.

J'ai quand même eu des hauts et des bas, surtout au début. Certains élèves de l'école primaire m'ont donné du mal, à mon arrivée. Je ne parlais pas anglais, pas du tout, les premiers mois. C'était donc un peu difficile, mais j'ai rapidement appris. Et puis il y avait cette grande gueule de Dan Smart – c'était son nom qui s'en prenait toujours à moi dans la cour de récréation. Il n'arrêtait pas de me bousculer et de me dire de retourner dans mon pays. Heureusement, Matt lui a vite réglé son compte, il l'a défié du regard, il l'a traité d'andouille, d'idiot, et d'un tas d'autres choses que je préfère ne pas répéter. Dan ne m'a plus jamais embêté. Quant à Matt et moi, nous sommes devenus les meilleurs amis du monde, depuis ce jour-là. Alors l'école, c'est super, plus de problèmes.

Pour mère, ça n'a pas été aussi facile. Bamiyan lui manque beaucoup plus qu'à moi. Ce sont surtout ses amies qui lui manquent, je pense. Elle pleure toujours énormément quand elle pense à grand-mère, à père, à tout ce qui s'est passé. Elle aide une amie dans une boutique au bout de la rue, qui vend des objets d'occasion pour une association caritative, elle fait tout le raccommodage des vêtements pour eux sur sa machine à coudre. Elle sait faire des tas de choses avec cette machine. Et elle donne des cours de dari, à des enfants du quartier – mais pas pour de l'argent. On n'a pas le droit de gagner d'argent quand on est demandeur d'asile. Elle a toujours des moments d'angoisse, cependant, et le médecin lui donne des médicaments. Le problème, c'est que ça l'endort, et elle n'aime pas les prendre. Elle me fait travailler dur à l'école, parce qu'elle veut que j'aie un bon travail quand je serai grand, et que je ne sois pas pauvre.

Je vais au collège Belmont, maintenant. J'aime à peu près toutes les matières, en dehors de l'économie domestique. Je dois passer mon brevet l'année prochaine, et j'ai pris l'option maths cette année, avec un an d'avance, parce que je suis bon en maths. M. Bell – mon prof de maths – dit que j'aurai un assez bon niveau pour aller à l'université plus tard, si je travaille bien. C'était notre projet, en tout cas. Mère aussi veut que j'aille à l'université pour que je devienne ingénieur, c'est ce que je veux être. Je veux construire des ponts. J'adore les ponts. Je ne suis pas très fort en anglais. J'arrive à le parler pas trop mal, mais je suis mauvais en orthographe.

Enfin, ce qui est sûr, c'est que je suis bien meilleur en football. Je vous ai montré la photo, n'est-ce pas ? Celle que mon équipe m'a envoyée, vous vous rappelez ? C'est nous qui avons remporté le championnat l'année dernière et l'année d'avant. Nous sommes les meilleurs ! Et ce ne sont pas des paroles en l'air. Nous sommes vraiment les meilleurs !

Mais depuis que nous vivons là, en Angleterre, nous avons toujours été rongés par la même inquiétude : allions-nous obtenir l'autorisation de rester, est-ce que le gouvernement nous accorderait le droit d'asile ? C'était comme une ombre qui planait au-dessus de nous. Je crois que je m'y étais habitué, mais mère ne pouvait jamais s'empêcher d'y penser. Oncle Mir lui répétait que tout irait bien, que l'avocat avait dit que nous avions fait tout ce qu'il fallait, que nous avions de bonnes chances pour que ça se passe bien, que nous devrions simplement vivre le mieux possible, sans nous inquiéter.

C'était plus facile à dire qu'à faire. Pendant six ans, nous n'avons eu aucune nouvelle du gouvernement.

Et puis un jour, nous avons reçu une lettre nous informant que nous devions retourner en Afghanistan, tout simplement. Nous avons essayé de faire appel. Nous leur avons expliqué ce qui était arrivé à notre famille là-bas, et comment ça se passait pour nous, comment la police nous traitait, nous leur avons répété que les talibans étaient partout, que père avait été assassiné parce qu'il avait aidé les Américains, que les talibans avaient tué grand-mère, et que mère avait été torturée par la police.

Nous leur avions déjà raconté tout ça avant, mais ça n'a servi à rien. Ils nous donnent toutes sortes de raisons. L'Afghanistan est différent, aujourd'hui, nous assurent-ils. Il n'y a plus de danger, maintenant, et la police a changé. Mais nous avons des amis au pays, et ils disent tous que les talibans sont encore forts, que la police est toujours aussi redoutable. La guerre continue, là-bas, ils ne s'en rendent pas compte, ou quoi ?

Ils ne nous écoutent pas. Ils sont prêts à trouver n'importe quelle raison pour se débarrasser de nous – c'est l'impression que ça nous donne, en tout cas. Nous avons beau être des demandeurs d'asile en règle, avoir notre vie ici, à présent, ils ne veulent rien savoir, et comme je vous l'ai déjà dit, ils ne nous laissent même pas faire appel.

Mère était très stressée par tout ça. Il lui arrivait souvent de ne pas pouvoir dormir, de ne pas pouvoir manger, et elle finissait toujours par avoir des crises de panique. Moi, j'essayais de ne pas y penser, de me sortir ces problèmes de la tête, de faire mon travail, de jouer au foot, de vivre le mieux possible, comme nous l'avait conseillé oncle Mir.

Mère, elle, n'a jamais pu le faire. C'est pourquoi je ne l'écoutais pas tellement, quand elle continuait d'en parler. Elle m'a prévenu, il y a quelques mois, que tôt ou tard, on viendrait nous chercher. Je me disais toujours que ce serait plus tard, ou qu'ils nous oublieraient peut-être, que ça n'arriverait peut-être jamais. Je ne voulais pas voir les choses en face, voilà la vérité.

Et puis un matin – j'étais encore au lit, endormi –, j'ai été réveillé par des gens qui frappaient fort à la porte, en bas, et qui frappaient, frappaient sans arrêt. Comme le début du pire des cauchemars.

Enfermés

Aman

Au début, j'ai cru que c'était oncle Mir. Quelques jours plus tôt un tuyau avait éclaté dans notre appartement, l'eau avait traversé le plancher et coulé chez eux. J'ai cru que ça avait recommencé. Je suis donc sorti de mon lit, et je suis allé ouvrir la porte.

Mais ce n'était pas à notre porte qu'on frappait, ni à celle d'oncle Mir. Ça venait d'en bas, de la porte qui donnait sur la rue. Je suis donc descendu ouvrir. Il y avait des hommes en uniforme, certains étaient des policiers, ou peut-être des agents des services de l'immigration – je ne savais pas, mais il y en avait beaucoup, dix, ou douze, quelque chose comme ça. Ils m'ont poussé et ont monté l'escalier au pas de charge. Puis l'un d'eux m'a pris par le bras, et m'a traîné en haut des marches. Mère était assise sur son lit. J'ai vu qu'elle avait du mal à respirer, et qu'elle allait avoir une de ses crises de panique d'un moment à l'autre. Une femme policier lui disait de s'habiller, mais elle ne pouvait pas bouger.

Quand je leur ai demandé ce qui se passait, ils m'ont répondu de la fermer. Ensuite, ils se sont mis à crier contre mère, en lui disant qu'elle avait cinq minutes pour se préparer, que nous étions des demandeurs d'asile en situation irrégulière, qu'ils allaient nous emmener dans un centre de détention, et que nous repartirions pour l'Afghanistan. Alors brusquement, ma colère a été plus forte que ma peur. Je leur ai répondu en criant, moi aussi. Je leur ai dit que nous vivions là depuis six ans, que nous étions chez nous, je leur ai dit de partir. Ils sont devenus furieux. L'un d'eux m'a poussé pour me faire sortir de la chambre de mère, et m'a ramené dans ma chambre, en m'ordonnant de m'habiller.

Ils ne nous ont plus jamais laissés seuls, après ça.

Ils ne sont même pas sortis pendant que nous nous habillions – mère a dit ensuite que trois policiers au moins étaient restés dans sa chambre, dont un homme. Nous n'avons quasiment rien eu le droit de prendre – un petit sac à dos, mes livres et mes cahiers, c'est tout. Nous avons dû laisser presque toutes nos affaires : mon portable, mes programmes de matchs de foot, les livres que je lisais, mon autographe de David Beckham, le petit train rouge d'Ahmed, et mon poisson rouge. Heureusement, j'avais mon insigne avec l'étoile d'argent dans la poche de mon jean, et je n'ai pas été obligé de le laisser là-bas. Ils n'ont pas arrêté de nous harceler. Ils nous ont fait descendre l'escalier et sortir dans la rue. Il y avait un tas de gens dehors, en pyjamas, qui nous regardaient – oncle Mir, Matt et Flat Stanley, aussi. Matt m'a appelé, il m'a demandé ce qui se passait, et je lui ai dit qu'on nous renvoyait en Afghanistan.

Un policier me tenait tout le temps par le bras, me poussait, m'entraînait de force. J'avais honte, alors que je n'avais rien fait dont je doive avoir honte. Mère avait une vraie crise, à présent, mais personne ne s'en souciait. La femme policier a dit qu'elle faisait semblant, qu'elle jouait la comédie.

Ils nous ont poussés dans leur fourgon, nous ont enfermés dans des compartiments séparés, avec des fenêtres grillagées, et ils nous ont emmenés. J'entendais mère pleurer sans arrêt. Ils devaient bien l'entendre, eux aussi, mais ce n'était qu'un travail pour eux. Ils étaient occupés à écouter la radio, et à rire.

Je parlais continuellement à mère, pour essayer de la calmer, mais je me rendais compte qu'elle allait de plus en plus mal. Alors j'ai tapé contre la portière, et j'ai crié pour avertir les policiers, devant, dans le fourgon. À la fin, ils se sont arrêtés. Ils ont jeté un coup d'œil à mère, et la même femme m'a répété qu'elle jouait la comédie, et que je ferais bien de me taire, si je ne voulais pas avoir d'ennuis. Je ne me suis pas tu. Je leur ai dit que je voulais être avec mère, et j'ai continué, jusqu'à ce qu'ils m'autorisent à le faire. Mère s'est calmée peu après, mais elle était toujours très perturbée quand nous sommes arrivés.

Ils voulaient nous mettre dans des pièces différentes, elle et moi. Ils disaient que j'étais trop grand pour être enfermé avec elle. Je leur ai dit que je resterais avec ma mère pour m'occuper d'elle, quoi qu'il arrive, que j'avais été avec elle toute ma vie, et qu'il était impossible de nous séparer. Nous avons tous deux déclaré que nous ferions une grève de la faim s'ils nous séparaient. Nous avons fait tellement de bruit et d'histoires qu'à la fin ils nous ont autorisés à rester ensemble. C'est là que nous avons appris qu'il ne faut jamais abandonner, jamais.

Quand je suis arrivé ici, je n'en croyais pas mes yeux. Vous comprenez, ça peut toujours paraître acceptable de l'extérieur, comme un centre de loisirs, ou un peu comme mon école. Mais à l'intérieur, il n'y a que des portes verrouillées et des gardiens. Tout est faux, tout est là uniquement pour sauver les apparences – les fleurs artificielles sur la table, les jolis tableaux aux murs, la crèche, l'endroit où les enfants peuvent jouer, et la télévision. Mais c'est une prison. Voilà ce que c'est : une prison. Et c'est ce que je n'arrivais pas à croire : ils nous avaient mis en prison. Nous étions enfermés. Je n'avais rien fait de mal, ma mère non plus, ni personne d'autre, ici. Tout le monde a le droit de faire une demande d'asile en Grande-Bretagne, d'essayer de trouver un endroit où vivre en sécurité, non ? Eh bien, nous n'avions rien fait de plus.

Les premiers jours que nous avons passés là, mère n'arrêtait pas de pleurer. Oncle Mir est venu nous voir, il a dit qu'il avait pris un avocat, qu'il ferait tout ce qu'il pourrait pour nous sortir de là, et nous ramener chez nous. Mais mère continuait à pleurer, rien ne pouvait sécher ses larmes. Quand nous avons appris qu'oncle Mir avait eu une crise cardiaque, qu'il était à l'hôpital – à cause de tout ce qui s'était passé, j'imagine –, cela n'a fait qu'aggraver les choses pour elle. Le médecin est venu, lui a fait une piqûre et ensuite, au lieu de pleurer, elle est restée simplement couchée là, à regarder le plafond, comme si elle avait été vidée de tout sentiment.

C'est pire pour elle que pour moi. Elle a des souvenirs de la prison où elle a été emmenée en Afghanistan. Je sais que ce sont des souvenirs terribles, car elle ne veut toujours pas en parler. Elle dit qu'elle ne repartira jamais là-bas, qu'elle préfère encore se tuer. Et je sais qu'elle ne plaisante pas.

Voilà, c'est presque toute l'histoire – ah oui, j'allais oublier une chose. Il y a environ une semaine, je pense, les policiers sont entrés dans notre chambre un matin de bonne heure, pour nous dire qu'ils allaient nous conduire à l'aéroport, et que de là nous prendrions un avion pour l'Afghanistan. Nous leur avons demandé à quelle date c'était prévu, et ils nous ont répondu que nous devions partir le jour même, que nous devions nous préparer immédiatement.

Nous avons refusé.

Mère s'est jetée sur eux, et moi aussi. Ils ont dû nous maîtriser et nous passer les menottes. Pendant tout le trajet vers l'aéroport, nous avons tapé contre la paroi du car de police, nous avons crié et hurlé. Ils nous ont amenés directement à l'avion et ont essayé de nous faire monter dedans. Nous refusions d'avancer. Ils ont dû nous traîner à moitié et à moitié nous porter. Même une fois assise dans l'avion, mère n'a pas arrêté de se débattre. Je m'étais presque résigné, à ce moment-là, mais mère n'a jamais baissé les bras. C'est grâce à ça que nous sommes encore là, c'est parce que mère n'a pas abandonné.

À la fin, le pilote est venu voir, et il a dit qu'il ne pouvait pas décoller avec mère et moi à bord, que nous représentions un danger pour les autres passagers, que nous leur faisions peur. Ils nous ont donc fait descendre de l'avion, et nous ont ramenés ici. Ici, ils n'étaient pas contents du tout de nous voir revenir. Nous avions mal aux poignets, à l'endroit des menottes, nous avions des contusions un peu partout, mais ça nous était bien égal. Mère m'a dit, ce soir-là, que grand-père aurait été fier de nous. Il s'était battu pour la liberté, et père aussi, à sa manière. Nous devons nous battre pour notre liberté, et ne jamais abandonner.

« Nous allons le faire ! »

Grand-père

Aman se tourna vers sa mère.

– C'est bien ce que tu as dit, n'est-ce pas ? Il ne
faut jamais abandonner, c'est ça ?

Il avait continué à parler anglais, mais je vis au
sourire de sa mère qu'elle avait tout compris depuis
le début.

Aman poursuivit, en serrant la main de sa mère
dans la sienne :

– Ils vont revenir, et essaieront de nouveau de
nous renvoyer. Peut-être aujourd'hui, peut-être
demain, peut-être la semaine prochaine. Mais nous
n'irons pas sans nous battre, n'est-ce pas ?

Elle tendit la main vers lui et lui toucha la nuque,
lui caressant les cheveux, avec tendresse et fierté.

– Elle ne veut pas me répondre, dit Aman. Elle
a imposé une règle quand nous sommes arrivés ici :

je dois toujours parler dari avec elle. Elle dit que je ne dois pas oublier que nous sommes hazara, et que si je parle la langue, je ne l'oublierai jamais. Moi, je lui dis que nous devons parler anglais aussi, parce que maintenant nous sommes anglais aussi. Nous sommes les deux. On se dispute là-dessus, n'est-ce pas, mère ?

Mais j'avais l'impression qu'elle ne l'écoutait plus. Elle tournait son regard vers moi.

Elle commença alors à me parler, en anglais, lentement, avec hésitation, en cherchant ses mots, mais en pesant chacun d'eux.

– Merci d'être venu nous voir. Aman m'a parlé de vous. Il vous aime bien. Vous avez été très gentil avec nous.

Mon attention fut distraite à ce moment-là, comme elle l'avait été à plusieurs reprises dans l'après-midi pendant qu'Aman me racontait son histoire, par une petite fille de deux ou trois ans environ, vêtue d'une robe rose. Elle courait autour du parloir, et j'avais déjà remarqué que chaque fois que la porte qui menait à l'extérieur s'ouvrait, chaque fois que quelqu'un entrait ou sortait, elle se précipitait vers la porte, qu'on lui claquait aussitôt à la figure.

Il y avait plusieurs portes dans la pièce, mais la petite fille semblait savoir que c'était celle-là qu'il fallait franchir pour sortir de cet endroit. Après avoir vu qu'on l'avait refermée, elle resta là à la regarder, puis à fixer le gardien qui se tenait à côté. Ensuite, elle s'assit par terre, un ours en peluche à la main, le pouce dans sa bouche, attendant que la porte s'ouvre de nouveau, tandis que le gardien baissait les yeux vers son visage impassible. Il n'arrêtait pas de tripoter le trousseau de clés pendu à sa ceinture, les entrechoquant de temps en temps dans un bruit de ferraille.

Je me levai quelques instants plus tard.

— Je reviendrai, leur dis-je.

— J'espère que nous serons encore là, répondit Aman.

Je ne m'attendais pas à ce qu'il veuille me serrer la main. Mais il le fit. Je sentis alors qu'il glissait quelque chose dans ma paume. Je devinai aussitôt que c'était son insigne d'argent. Il me fixa intensément, me faisant comprendre de ne pas regarder ma main, de la mettre simplement dans ma poche, et de m'en aller. Je savais, en sortant du centre de détention, tandis que les portes se refermaient derrière moi, et que je me retrouvais de nouveau dans le monde libre, que je tenais leur avenir au creux de ma main.

Matt m'attendait avec Dog.

— Eh bien ? Qu'est-ce qui s'est passé, grand-père ? Tu es resté une éternité. Est-ce que tu l'as vu ?

— Je l'ai vu, et j'ai vu sa mère, dis-je.

— Est-ce qu'il va bien ?

— Oui, pour le moment, répondis-je.

Matt mourait d'impatience d'apprendre ce qui s'était passé là-bas. Je lui donnai l'étoile d'argent d'Aman, et dans la voiture, pendant tout le trajet du retour, la tête de Dog appuyée contre mon épaule, comme d'habitude, je lui racontai tout ce qu'Aman m'avait dit sur Bamiyan, sur l'histoire incroyable de leur fuite d'Afghanistan, sur Ombre et le sergent Brodie, sur leur voyage cauchemardesque jusqu'en Angleterre – tout sur le centre de Yarl's Wood, aussi, je lui dis comment c'était à l'intérieur –, et je lui parlai de la petite fille à la robe rose. Je ne pouvais pas la chasser de mon esprit.

Jusqu'à ce que j'aie fini – et nous étions alors presque arrivés à la maison –, il n'ouvrit pas la bouche, ne posa pas de questions, mais resta simplement là à m'écouter, l'étoile d'argent d'Aman au creux de sa main.

– Il ne m'avait rien dit, il ne m'a jamais rien dit, soupira Matt, avant d'ajouter : J'ai vu ce petit train rouge. Il l'a dans sa chambre. Je croyais que c'était simplement son jouet préféré, tu comprends, un jouet qu'il avait gardé depuis qu'il était petit. Il ne m'a jamais rien dit.

Nous n'avons plus beaucoup parlé, ensuite, à peine quelques mots jusqu'à ce qu'on arrive à la maison. Là, nous sommes simplement restés assis dans la voiture pendant un moment. Je savais à quoi il pensait, et je crois qu'il savait à quoi je pensais, moi aussi.

– C'est mal parti, Matt, lui dis-je. Je me suis creusé les méninges, mais c'est une situation désespérée. Même si nous avions une idée, il serait trop tard. Je ne vois vraiment pas ce que nous pourrions faire pour eux.

– Oh si, il y a forcément quelque chose à faire, grand-père, répondit Matt. Il le faut. Et nous allons le faire !

Étoiles filantes

Matt

Je dois avouer une chose.

En écoutant grand-père dans la voiture, je m'étais senti profondément blessé.

J'aurais bien voulu comprendre pourquoi Aman ne m'avait rien raconté avant. J'étais quand même son meilleur ami, non ? Il n'avait donc pas confiance en moi ?

Oui, bien sûr, je savais qu'il était venu d'Afghanistan quand il était petit. Mais je ne lui avais jamais posé de questions là-dessus – je pensais que ce n'étaient pas mes affaires –, et il ne m'en avait jamais parlé.

Et puis, oui, je savais que son père était mort, il m'avait dit au moins ça, mais il ne m'avait jamais raconté comment il était mort, ni rien sur les grottes, sur le chien ou les soldats, rien sur le fait qu'il était demandeur d'asile. Pendant tout ce temps, pendant six ans, il ne m'avait rien raconté. Je n'avais jamais entendu parler de son étoile d'argent et, maintenant j'étais là, son insigne à la main.

Mais ensuite, tandis que la voiture roulait, cette blessure en moi se transforma en colère, non pas contre Aman, mais contre la façon dont ils étaient traités, sa mère et lui, dans ce centre de Yarl's Wood.

C'était injuste. C'était cruel. Et ce n'était pas bien.

Plus j'y pensais, plus j'avais les idées claires. Alors, le temps de rentrer à la maison, grand-père et moi, le temps de nous asseoir à la table de la cuisine et que grand-père se verse une tasse de thé, je savais exactement ce que nous devions faire. Je ne savais pas si ça marcherait. Je savais seulement que nous devions essayer.

D'autant plus que j'étais sûr que grand-père serait d'accord, qu'il était aussi révolté que moi. En lui faisant part de mon idée, j'eus d'ailleurs la nette impression qu'elle n'était pas nouvelle pour lui. Il y avait déjà réfléchi.

– Tu sais ce que je pense, grand-père ? Je pense que tu devrais écrire l'histoire d'Aman, la faire publier dans les journaux. Tu es journaliste, non ? Tu pourrais essayer. Si les gens sont au courant de l'histoire d'Aman, s'ils apprennent ce qu'ils ont subi, sa mère et lui, comment ils ont sauvé Ombre et les soldats, ils seront aussi choqués que nous.

Nous pourrions appeler les gens à venir manifester, à protester devant Yarl's Wood. Ils viendraient, j'en suis sûr. Et le gouvernement – ou je ne sais qui – serait bien obligé de changer d'avis, non ? On pourrait y arriver, grand-père.

Il buvait son thé à petites gorgées, pensivement.

– Est-ce que tu crois vraiment qu'il y a une chance pour que ça marche ? demanda-t-il au bout d'un moment.

Je posai l'étoile d'Aman sur la table, devant lui.

– Aman y croit, grand-père, dis-je. C'est pour ça qu'il nous a donné son insigne. Il compte sur nous. Il n'a personne d'autre.

Grand-père me regarda par-dessus la table.

– D'accord. Tu as raison, dit-il. Allons-y !

Il se leva aussitôt, et passa dans la pièce voisine pour téléphoner à son ancien rédacteur en chef. Ils parlèrent, mais pas très longtemps.

En le voyant revenir dans la cuisine, l'air abattu, je crus qu'il s'était fait rembarrer.

– Je ne sais pas si je peux y arriver, Matt. L'idée lui plaît, il est vraiment très intéressé. Il dit que si je fais ça bien, l'article pourrait paraître en première page. Mais si nous voulons que ce soit dans le journal de demain, j'ai deux heures pour l'écrire. Mille cinq cents mots, et il faut qu'il l'ait à six heures, dernier délai.

– Et alors, dis-je en haussant les épaules, quel est le problème, grand-père ? Combien de fois est-ce que tu m'as répété d'arrêter de tergiverser et de me mettre au travail, quand j'avais des devoirs à faire ?

– Tu as marqué un point, répondit-il en souriant.

Il s'assit devant son ordinateur portable, posé sur la table de la cuisine, et se mit au travail. À partir de là, il n'en leva pratiquement plus les yeux. Je voulais lire ce qu'il écrivait par-dessus son épaule, mais il s'y opposa. Ce n'est qu'après avoir tout relu et mis le point final qu'il me laissa enfin lire son texte.

– Eh bien ? demanda-t-il.

– Super ! dis-je.

Et c'était vrai. J'avais les larmes aux yeux en finissant de le lire. Il l'envoya immédiatement par e-mail au journal. Une réponse arriva moins d'une demi-heure plus tard :

Sera publié demain dans le journal. N'ai pas changé un seul mot. La une, photos, le maximum. Ton titre aussi : « On veut que tu reviennes. » Et la signature que tu as demandée, avec l'appel spécial à venir se joindre à la protestation devant Yarl's Wood à huit heures demain matin. Tout le journal est avec vous. Bonne chance.

Je téléphonai à la maison juste après, pour raconter à mam ce que nous préparions, grand-père et moi, tout ce qui était arrivé ce jour-là, et lui dire

131

que l'article de grand-père sortirait le lendemain matin.

Ce fut un long coup de fil, et grand-père lui parla aussi. Mais à la fin, après avoir entendu toute l'histoire d'Aman, elle était prête à faire tout ce qu'elle pouvait pour être utile, et papa aussi. Ils furent d'accord pour prendre contact avec tous les gens que nous connaissions : famille, amis, école – par e-mail, Twitter, Facebook, SMS, téléphone, par n'importe quel moyen –, et essayer de les convaincre de venir à la manifestation.

Mam était très excitée. Elle avait été militante quand elle était étudiante, me dit-elle. Elle savait comment s'y prendre pour organiser ce genre de chose. Et ils seraient tous les deux le lendemain à Yarl's Wood pour nous soutenir, bien sûr qu'ils seraient là.

Puis papa prit le téléphone, et m'annonça qu'il était très fier de moi. (Ça me fit vraiment plaisir d'entendre ça. Je crois qu'il ne me l'avait jamais dit avant.) Il paraissait choqué par cette histoire, et il déclara que dans certains cas, comme celui-ci, c'était bien de créer de l'agitation, même s'il ne fallait pas que ça devienne une habitude !

Grand-père et moi, nous avons donc laissé tout ce qui concernait l'organisation de la manifestation à mes parents, et nous avons commencé à faire les banderoles par terre dans la cuisine. Nous avons tapissé le sol de papier journal, d'un mur à l'autre. J'ai trouvé un reste de peinture verte dans un pot, au fond de la remise du jardin. Ce n'était pas la meilleure couleur, mais ça irait quand même. Nous avons fait deux banderoles. L'une (d'après mon idée) : NOUS VOULONS QU'AMAN REVIENNE. L'autre (d'après l'idée de grand-père) : LIBÉREZ NOS ENFANTS.

Cette tâche nous a pris plus longtemps que prévu. Il faut dire que Dog ne nous facilitait pas le travail ; il n'arrêtait pas de marcher sur les banderoles, ponctuant les lettres de traces de grosses pattes vertes. Nous avions beau essayer de le chasser, il revenait sans arrêt. Pour lui, c'était un jeu, et il nous était impossible de lui montrer que ce n'en était pas un. Ensuite, nous sommes sortis dans le jardin, nous nous sommes assis et nous avons contemplé les étoiles pendant un bon moment, près de l'arbre de grand-mère. Il y avait des étoiles filantes, cette nuit-là, et même beaucoup. Nous en avons compté six avant d'aller nous coucher. Mais c'était celle que j'avais dans la main, celle que je serrais fort, qui était la plus importante pour moi, et à laquelle je pensais, chaque fois que nous voyions une étoile filante et que je faisais un vœu.

« Il n'y a que deux personnes et un chien. »

Matt

Quelques heures plus tard – je n'avais presque pas dormi de la nuit – nous étions debout, et en route pour le centre de détention de Yarl's Wood, nos banderoles roulées dans le coffre de la voiture, Dog haletant d'excitation dans le cou de grand-père. Il savait qu'il se préparait quelque chose.

Nous avions pris deux ou trois exemplaires du quotidien du matin chez le marchand de journaux du coin. L'histoire d'Aman était bien là, en première page. Nous n'aurions pu rêver mieux.

– Bien, dit grand-père, espérons, espérons vraiment que ça va remuer un peu les choses. Il doit y avoir quelques ministres déjà réveillés à Londres ce matin, qui avalent leurs corn-flakes de travers, en lisant ça !

Nous nous attendions tous les deux à trouver un petit attroupement devant les grilles de Yarl's Wood, en arrivant. Mais il n'y avait personne. Je ne comprenais pas.

Grand-père dit qu'il était encore tôt, qu'il ne fallait pas que je m'inquiète, que les gens arriveraient bien assez vite. Mais je téléphonai aussitôt à mes parents sur mon portable pour m'assurer qu'ils étaient en chemin, au moins eux. Ils ne répondaient pas, ce qui m'angoissa et me démoralisa encore plus.

Nous nous sentions un peu ridicules, à présent, et tristes, tous les deux, là, avec Dog, devant les barbelés de Yarl's Wood, à brandir nos banderoles, à attendre, à espérer que quelqu'un allait nous remarquer, et que nous ne resterions pas seuls comme ça pendant longtemps. Nous reprenions espoir chaque fois qu'une voiture arrivait sur la route, mais chacune d'elles passait simplement devant nous, puis franchissait les grilles. Et chaque fois, on nous regardait d'un air bizarre.

Les gens de la sécurité à l'entrée du centre vinrent nous jeter un coup d'œil à travers les barbelés, puis on les vit téléphoner, une fois rentrés dans leur poste de garde. Ils s'étaient enfin aperçus de notre présence, pensai-je, c'était déjà quelque chose. Mais environ une heure plus tard – une heure qui me parut très longue –, il n'y avait toujours personne en vue. Grand-père, je le voyais bien, essayait de ne pas avoir l'air trop déçu, mais il l'était, et moi aussi.

– Ce n'est pas vraiment une manifestation de masse, hein ? dis-je.

– Attends, Matt, attends, répondit-il.

Je savais qu'il essayait seulement de prendre les choses le mieux possible, qu'il essayait de me remonter le moral et, à la fin, ça commençait vraiment à m'énerver. Il disait que ce n'était même pas l'heure du petit déjeuner pour la plupart des gens, que tout allait s'arranger.

– Non, sûrement pas, répliquai-je d'un ton brusque. Je ne vois pas comment ça pourrait s'arranger si personne ne vient.

Je m'éloignai pour emmener Dog se promener, un peu parce que je voyais qu'il n'en pouvait plus de rester là, attaché à sa laisse, mais surtout parce que j'avais honte d'avoir été désagréable avec grand-père. Je détachai Dog, et je courus avec lui dans l'herbe, sur le large accotement de la route.

J'étais revenu près de grand-père, essayant toujours de trouver le moyen de m'excuser, quand, enfin, je vis une voiture arriver lentement sur la route. Elle s'arrêta et alla se ranger sur le bas-côté. Notre premier manifestant, pensai-je. Mais c'était la police. Deux agents sortirent de la voiture et se dirigèrent vers nous. L'un d'eux communiquait par radio en marchant. Je l'entendis dire quelque chose comme :

– Pas de quoi s'inquiéter. Il n'y a que deux personnes et un chien.

Ils arrivèrent près de nous, et demandèrent à grand-père ce que nous faisions là. Grand-père réagit immédiatement. J'étais stupéfait. Je ne l'avais jamais vu aussi furieux, ni aussi combatif. Il leur parla d'Aman, de tous les enfants et des familles qui étaient enfermés là, il leur dit combien c'était injuste et cruel. Je pris la parole dès qu'il se tut. Je bouillais de colère.

– Est-ce que ça vous plairait, à vous, commençai-je, que vos enfants soient enfermés comme ça, sans avoir rien fait ? Mon meilleur ami est là-dedans, et ils vont le renvoyer en Afghanistan d'un jour à l'autre. Il a vécu ici pendant six ans ! Voilà pourquoi nous manifestons.

Je pense qu'ils furent un peu décontenancés. Ils prirent nos noms, puis déclarèrent que nous pouvions rester là, tant que nous ne bloquions pas la route et ne perturbions pas l'ordre public allez savoir ce qu'ils entendaient exactement par là. Puis ils s'éloignèrent, mais pas de beaucoup : ils s'arrêtèrent devant leur voiture, puis entrèrent à l'intérieur pour nous surveiller de là où ils étaient. Je me sentis encore plus ridicule, car je savais qu'ils devaient se moquer de nous.

Plus de deux heures s'écoulèrent. Je n'arrivais toujours pas à joindre mes parents sur leur portable. Il n'y avait sans doute pas de réseau, ou leur téléphone devait être éteint. Il était presque dix heures et demie, les gens auraient eu tout le temps de venir à Yarl's Wood. J'emmenais sans arrêt Dog se promener, pour m'occuper, pour ne pas perdre complètement le moral. Mais ça ne marchait pas. J'étais prêt à abandonner.

– C'est inutile, grand-père, dis-je. Il faut voir les choses en face. Personne n'a lu ton article, et même si des gens l'ont fait, ils ne viennent pas. Ça ne sert à rien de rester là.

Alors, il s'assit par terre, tapota l'herbe à côté de lui, pour que je m'assoie à mon tour, et nous versa un peu de thé du Thermos qu'il avait apporté. Il avait également pris quelques biscuits, des sablés au chocolat. J'en mangeai beaucoup, et lui aussi. Je me sentis tout de suite mieux.

– Tu as toujours l'étoile avec toi, non ? demanda-t-il au bout d'un moment.

– Oui.

– Alors, serre-la fort, Matt, et espère ! C'est ce qu'Aman m'a dit qu'il avait fait quand les choses tournaient vraiment mal pour lui. Et ça a marché.

Je l'écoutai, et je serrai l'étoile de toutes mes forces dans ma poche, jusqu'à ce que les larmes me montent aux yeux.

C'est à ce moment-là qu'un monospace apparut sur la route de la colline. Il se dirigeait lentement vers nous, et quand il approcha, je vis que c'était un taxi. Il s'arrêta juste devant nous. Sur le côté de la portière avant, on pouvait lire : « VMM. Voitures Mir Manchester ». Six personnes en sortirent, toutes de la famille d'Aman – je les connaissais toutes – et le dernier à s'en extraire fut oncle Mir, aidé par tante Mina.

Oncle Mir avait l'air faible, mais décidé. Il vint vers moi en s'appuyant lourdement sur sa canne. Il me serra la main, puis serra celle de grand-père, en nous remerciant avec beaucoup de larmes et d'effusions pour ce que nous faisions. Toute la famille s'affairait autour de lui, l'aidant à s'asseoir dans un fauteuil roulant, et l'enveloppant dans une couverture, tante Mina lui reprochant sans cesse d'être venu contre l'avis des médecins.

Une fois installé dans le fauteuil roulant, il nous raconta qu'après avoir lu l'article dans le journal, rien au monde n'aurait pu l'empêcher de venir ici.

– Aman est comme un fils pour moi, dit-il à grand-père. Je suis si fier de lui, et de sa mère aussi ! Il y a quelque chose qui manque dans l'histoire parue dans votre journal. Aman ne vous a pas dit qu'il avait écrit au soldat, à ce sergent Brodie ?

– Non, répondit grand-père. Il ne m'en a pas parlé.

– Eh bien, il lui a écrit, poursuivit oncle Mir. Et deux fois. La première, il lui a demandé s'il pourrait venir voir Ombre. Il adore cette chienne, il l'a toujours aimée, et au bout de tant d'années, il parle toujours d'elle. Mais il n'a pas reçu de réponse. Et puis, plus tard, il a de nouveau écrit au sergent Brodie pour qu'il appuie leur recours en appel, et qu'ils obtiennent le droit d'asile, le droit de vivre dans ce pays. Il a trouvé l'adresse du régiment, envoyé la lettre – je l'ai postée moi-même –, mais il n'a pas reçu de réponse, cette fois non plus. Il espérait toujours en recevoir une, mais il n'y en a jamais eu. C'était très dur pour Aman. Il ne lui en voulait pas, cependant. Moi, si. Je vous assure que si jamais je rencontre cet homme, je lui dirai ce que je pense de lui. Je n'hésiterai pas.

Chantons sous la pluie

Matt

– Je voudrais bien savoir pourquoi, continuait oncle Mir, en s'énervant de plus en plus, pourquoi est-ce que ce sergent Brodie n'a pas répondu ? Quand on pense à ce qu'Aman a fait ce jour-là ! Il leur a sauvé la vie, bon sang !

Sa femme essayait de le calmer, mais oncle Mir ne l'écoutait pas.

– Avec des amis comme ce soldat, pas besoin d'avoir des ennemis ! dit-il amèrement.

Tandis que je l'écoutais parler, je levai soudain les yeux et vis arriver la voiture de mon père. Maman nous faisait signe par la vitre ouverte. Enfin ! Enfin !

Ils n'étaient pas seuls. Tout un convoi de voitures les suivait, et à l'intérieur de certaines d'entre elles, il y avait au moins une dizaine d'amis à nous, ou même plus. Mam fit toutes sortes d'excuses :

encombrements épouvantables sur l'autoroute, et son portable qui n'avait plus de batterie.

Je l'écoutais à peine. Ils étaient là, c'était tout ce qui comptait.

Alors, brusquement, je commençai à croire que ça pourrait vraiment marcher. Et lorsque, une heure plus tard environ, un car monta la route, que je vis tous les membres de notre équipe de football en sortir en se bousculant dans leur tenue bleue, on se mit à sauter de joie, grand-père et moi, à nous embrasser, à crier. Ce fut un sacré moment! C'était aussi l'avis de Dog. Il devenait complètement fou!

Flat Stanley était là, et Samir, Joe, Solly, aussi, tout le monde! Ils arrivèrent en courant. Toute l'équipe m'entourait. Je me sentais bien, tout d'un coup. Rien ne pourrait plus nous arrêter, maintenant. Nous allions gagner. Nous avions toujours gagné, non?

– Dis donc, tu as une sacrée troupe, là! dit Flat Stanley, avec son grand sourire. Pour Aman, c'est bien ça?

– Pour Aman.

Il y avait des parents et des profs avec eux, et d'autres élèves, aussi, de la même année que nous, tout un car!

Ils sortirent la banderole que nous avions faite tous ensemble au collège quelques semaines plus tôt pour la photo de l'équipe, celle que nous avions envoyée à Aman:

en grandes lettres brillantes et bien pleines, de toutes les couleurs de l'arc-en-ciel.

Puis les caméras de la télévision, un tas de caméras, arrivèrent. Il y avait des journalistes de la presse écrite, de la radio, et tout le monde voulait nous interviewer. Finalement, vers le milieu de l'après-midi, à peu près tous nos amis et toute notre famille nous avaient rejoints, exactement comme nous l'avions espéré. Ils venaient de partout, surtout de Manchester et de Cambridge, mais certains venaient aussi de beaucoup plus loin.

Tante Morag, qui a quatre-vingts ans, avait pris l'avion à Orkney, et amené trois amis avec elle, pour soutenir la meilleure des causes, dit-elle, en m'embrassant. Nous avions donc de quoi être heureux, grand-père et moi. En tout, il devait y avoir environ deux cents personnes rassemblées là, et d'autres manifestants arrivaient sans arrêt.

Personne ne dit à personne de crier notre slogan. Cela se fit naturellement, en grande partie sous l'impulsion de Flat Stanley, de Samir et de l'équipe de football, qui commencèrent à le lancer, tandis que nous le reprenions tous ensemble.

– On veut qu'Aman revienne ! On veut qu'Aman revienne !

Des agents des forces spéciales de sécurité se

rassemblaient derrière les grilles, et paraissaient de plus en plus inquiets. Ils téléphonaient sans arrêt.

Apparemment, nous étions passés sur les chaînes de télévision et de radio nationales aux informations de treize heures, et l'article paru dans le journal, avec son appel à tous et à toutes à nous rejoindre, était sorti depuis plusieurs heures. Car les gens nous rejoignaient, à présent, de plus en plus nombreux, plus nombreux que tout ce que nous aurions pu imaginer. Ce n'était plus seulement un petit mouvement de protestation, mais une foule immense, une foule qui chantait, scandait des slogans, comme une vague qui déferle. C'était vraiment quelque chose, c'était une vraie manifestation. Nous étions suffisamment nombreux, maintenant, pour que tout le monde sache que nous ne plaisantions pas, que nous ne partirions pas.

Mais les policiers arrivaient aussi, dans de grands fourgons blancs, et quand ils en sortirent, on vit que ceux-là avaient des casques et des boucliers. Je crois que je ne m'étais pas rendu compte, jusqu'à ce moment-là, que la situation pourrait devenir critique, que les choses pourraient devenir incontrôlables.

Autour de moi, la pression montait, et je voyais à l'expression des policiers qu'ils le sentaient, eux aussi. Ils avaient des chiens, ce qui déplut fortement à Dog. Il aboyait furieusement contre eux dès qu'ils venaient trop près de lui, et je fus content de voir que les chiens de la police avaient l'air un peu surpris. Ils ne semblaient pas très bien savoir que faire. J'étais fier de Dog. Il ne se laisserait pas plus intimider que nous.

Ce mouvement, cette foule remuante qui chantait et scandait des slogans, tout cela était excitant, mais c'était effrayant aussi. Je commençais à me demander si nous avions eu une si bonne idée, finalement. Je veux dire, Aman était toujours bloqué là, à l'intérieur de Yarl's Wood, et nous étions à l'extérieur. Bien sûr, nous faisions beaucoup de bruit, et notre présence était gênante. Mais à quoi est-ce que ça servirait, et en quoi est-ce que ça aiderait Aman, si quelqu'un était blessé ?

Je sentais que j'étais de nouveau en train de me décourager, de perdre espoir. Je mis la main dans ma poche et serrai l'étoile d'Aman de toutes mes forces. Ce simple geste, un autre sablé au chocolat, et l'entrain de la foule autour de moi me redonnèrent assez de forces pour me reprendre, reprendre courage, reprendre les slogans avec les autres.

Soudain, il se mit à pleuvoir, à pleuvoir fort, et tous les cris, les slogans se turent peu à peu. Nous restions là, trempés et frigorifiés, en piteux état. On aurait dit que la police avait ordonné à la pluie de nous ramollir le cerveau, et que ça marchait. C'est alors que grand-père fit quelque chose d'absolument merveilleux, d'absolument imprévu. Il se mit à chanter sous la pluie. Et à chanter justement ÇA : *Chantons sous la pluie*, la musique de l'un de ses films préférés, et de l'un des miens aussi – nous avions souvent regardé le DVD ensemble. En un rien de temps, tout le monde se joignit à nous, en riant, en se tenant par le bras, en chantant et en dansant sous la pluie.

Je remarquai que certains policiers souriaient aussi, même si aucun d'eux ne dansait.

Mais on ne peut pas chanter toujours la même chanson très longtemps, et bientôt, nous étions de nouveau là, sous la pluie, de nouveau silencieux, attendant on ne savait pas très bien quoi. Nous avions dit ce que nous avions à dire, nous avions manifesté, d'accord, et après ? Ça faisait des heures et des heures que nous étions là, mouillés, gelés, fatigués. Personne ne l'exprimait ouvertement, mais je savais que chacun pensait la même chose que moi. Aman et sa mère étaient toujours enfermés à Yarl's Wood et, s'ils en sortaient, ce serait dans une voiture qui les conduirait à l'aéroport pour les expulser et les ramener en Afghanistan. Tôt ou tard, nous devrions tous rentrer chez nous, sans être parvenus à faire quoi que ce soit. Même l'étoile d'argent d'Aman semblait avoir perdu son pouvoir.

Il y avait tout un va-et-vient de voitures et de fourgons qui entraient dans le centre de détention et en sortaient. Les gardiens de la sécurité étaient plus nombreux, maintenant, de l'autre côté des barbelés, et je remarquai que deux d'entre eux prenaient des photos de nous. Des renforts policiers arrivaient sans cesse. Ils étaient des centaines, à présent, face à nous, silencieux, le visage fermé. L'affrontement n'était pas loin.

Ils ne me faisaient plus peur, cependant. Je pense que j'avais trop froid, trop faim, que j'étais trop mouillé pour être effrayé. Je ne pus m'empêcher de penser que nous n'avions pas du tout réfléchi à cette partie de notre plan, grand-père et moi. Nous n'avions pas de parapluie, plus de thé, ni de biscuits. Qu'allait-il se passer si on nous ignorait tout simplement, si on nous laissait là sous la pluie ? Je sentais le même sentiment croissant de découragement s'emparer de la foule autour de moi. La manifestation tombait à l'eau, et les gens commençaient à s'éloigner. L'équipe de football avait l'air misérable et frigorifié, comme si elle venait de perdre un match dix-zéro. Oncle Mir avait été emmené depuis un bon bout de temps dans sa voiture pour qu'il puisse s'asseoir. Il était évident que nous ne pourrions pas tenir encore très longtemps.

Heureusement, tous nos espoirs et notre moral remontèrent quand la pluie cessa enfin de tomber, et que le soleil apparut. Un splendide arc-en-ciel monta soudain dans le ciel, derrière le centre de détention.

– On ne peut pas rêver meilleur signe, dit grand-père.

Lorsque, quelques instants plus tard, il apparut que c'était un double arc-en-ciel, tout le monde se mit à rire et à pousser des hourras dans la foule. Je n'avais jamais vu un arc-en-ciel se faire acclamer. Comme grand-père l'avait dit, c'était bon signe. Ça ne faisait pas de doute.

Je vis alors l'un des policiers traverser la route à grands pas et se diriger délibérément vers nous, un mégaphone à la main.

– Puis-je avoir votre attention, s'il vous plaît ? commença-t-il.

Il fallut un certain temps avant que la foule se calme suffisamment pour qu'il puisse continuer.

– Ici l'inspecteur Smallwood. On vient de m'informer que Mme Khan et son fils Aman ont quitté le centre de détention de Yarl's Wood tôt ce matin. Ils ont été conduits à l'aéroport d'Heathrow, puis mis dans l'avion pour Kaboul. Je dois donc vous dire que ces personnes ne sont plus ici. Elles ont déjà été renvoyées.

« Il est temps de rentrer ! »

Matt

Nous restions tous là, muets de stupeur. Je levai les yeux, et vis à travers mes larmes qu'un merle chantait, perché sur les barbelés, et que la courbe du double arc-en-ciel traversait toujours le ciel. J'eus l'impression qu'ils se moquaient tous deux de nous.

Le policier n'avait pas fini.

– Maintenant que vous le savez, dit-il, vous n'avez plus aucune raison de traîner par ici. Tout est fini. Il est temps de rentrer, avant que nous n'attrapions tous la crève. Dispersez-vous ! Allons ! Il est temps de rentrer !

Je ne pense pas que j'aurais vraiment pleuré, si je n'avais pas entendu des sanglots venir de l'équipe de football qui se tenait derrière moi. Mon cœur et mes yeux se remplirent alors de larmes. Grand-père me prit le bras, et le serra fort contre lui. Il n'y avait plus rien à dire.

Tout était fini.

Je ne vis ni n'entendis la voiture qui montait la route de la colline. Elle apparut soudain devant nous, comme si elle était sortie de nulle part.

Je regardai les portières de la voiture s'ouvrir, en me demandant qui cela pouvait bien être. Mais je m'en fichais un peu. J'étais trop déprimé. La première à sortir fut une fille de dix ou onze ans environ. Puis un chien en laisse la suivit.

C'était un springer, un springer marron et blanc – comme Dog. Exactement comme Dog.

La fille essayait de retenir son chien, tout en aidant un homme à s'extraire du siège arrière. Lorsqu'il sortit, et se redressa, je vis que c'était un soldat en uniforme kaki, portant un béret sur la tête. Il était décoré de médailles, de beaucoup de médailles. Il marchait avec une canne, et regardait bizarrement autour de lui. Je compris aussitôt qu'il regardait autour de lui comme un aveugle, qu'il regardait sans voir.

La fille essayait toujours de retenir son chien.

– Grand-père, murmurai-je. C'est le sergent Brodie, tu ne crois pas ? Et ça, c'est sûrement Ombre. C'est elle, j'en suis sûr.

Tout le monde semblait comprendre qui ils étaient, à présent – grâce à l'article de grand-père, je suppose –, et toute la foule se mit à applaudir.

Les deux chiens, Ombre et Dog, étaient nez à nez, remuant vigoureusement la queue.

– Désolé d'arriver en retard, disait le soldat. Il y avait de la circulation, et là-bas, à Londres, les choses ont pris beaucoup plus longtemps que je ne l'aurais pensé, n'est-ce pas, Jess ? Oh, voici Jess, ma fille. Et moi, je suis le sergent Brodie, au fait. Je suis un vieil ami d'Aman.

Ombre et Dog se reniflaient l'un l'autre, et poussaient des jappements d'excitation.

Pendant un long moment, personne ne bougea, nous restions tous simplement là, sans savoir que dire. Puis grand-père prit la parole :

– J'ai bien peur qu'il ne soit trop tard. On vient de nous apprendre qu'Aman et sa mère avaient été emmenés ce matin, avant notre arrivée. Ils sont déjà repartis pour l'Afghanistan. Nous sommes tous arrivés trop tard.

Ombre flairait activement mes pieds.

– Désolée, s'excusa Jess, en essayant de la retenir de toutes ses forces. Elle va là où son nez va, elle est comme ça.

Dog ne voulait plus laisser Ombre tranquille. Il pensait qu'il avait trouvé une amie pour la vie, une compagne avec qui renifler, une compagne avec qui remuer la queue.

– Mais non, il n'est pas trop tard, dit le sergent Brodie, en souriant. Apparemment, vous n'avez pas entendu les nouvelles ?

– Quelles nouvelles ? demandai-je.

– À propos du volcan, là-bas, en Islande, répondit sa fille. Il y a un énorme nuage de cendres dans le ciel, et il n'y a plus aucun vol, les avions ne peuvent pas décoller, ni pour l'Afghanistan, ni pour aucune autre destination. Tous les aéroports sont fermés.

– C'est vrai, poursuivit le sergent Brodie. Il vaudrait mieux que je vous explique tout depuis le début. Lorsque Jess m'a lu l'article paru dans le journal, ce matin, j'ai téléphoné au régiment, j'ai parlé à mon commandant, je lui ai raconté toute l'histoire – qu'il connaissait déjà en partie, bien sûr – et il s'est arrangé pour que j'aille immédiatement à Londres avec lui pour rencontrer le ministre.

Il tapota l'une des médailles qui décoraient sa poitrine, une médaille en argent.

– Cette petite médaille, qu'on m'a remise, la croix de guerre, ouvre quelques portes, elle est parfois utile. De toute façon, j'ai toujours su que c'était une médaille porte-bonheur. Beaucoup d'autres gars la méritaient autant que moi. La vérité, c'est que sans ma médaille porte-bonheur, et sans ce volcan qui, lui aussi, nous a porté bonheur dans cette affaire, Aman et sa mère seraient déjà partis, à l'heure qu'il est, c'est sûr. Bref, pour résumer : Aman et sa mère restent là. Un cas particulier, a conclu le ministre, après m'avoir écouté, un cas très particulier. Et il a parfaitement raison. Aman était un bon ami à nous, un bon ami du régiment, et de l'infanterie. Tout le monde devrait veiller sur ses amis, voilà ce que j'ai dit au ministre. Il a pris son téléphone, et a immédiatement bloqué son expulsion. J'ai parlé moi-même au téléphone à Aman et à sa mère, je leur ai appris la bonne nouvelle. Je crois qu'ils étaient vraiment contents ! Ils vont revenir ici, ils sont déjà en route.

Il fallut un moment pour que ces nouvelles pénètrent dans nos cerveaux, et qu'elles se répandent dans la foule. Puis, tout le monde s'embrassa, poussa des hourras, et cria de joie. Il y eut aussi pas mal de pleurs. On se mit tous à chanter de nouveau *Chantons sous la pluie*, il ne pleuvait plus, bien sûr, mais vous voyez ce que je veux dire.

Le meilleur moment pour grand-père, oncle Mir et sa famille, pour moi, et pour toute la foule, vint environ une heure plus tard, quand on vit la voiture monter la route vers nous. Nous pouvions déjà apercevoir Aman et sa mère, qui nous faisaient de grands gestes de l'intérieur de la voiture. Puis Aman en sortit rapidement, vit Ombre et courut aussitôt vers elle. Il s'accroupit, et la serra dans ses bras. J'étais là, juste à côté d'eux, l'équipe de foot autour de nous, nous étions de nouveau tous ensemble.

Pendant un bon moment, personne ne parla. Ombre léchait l'oreille d'Aman dans tous les sens, le faisant glousser. Il leva alors les yeux vers sa mère.

– Tu vois, mère, je t'avais dit qu'elle me reconnaîtrait. Je te l'avais dit, non ?

– Aman ? appela le sergent, en lui tendant la main.

Aman se leva et lui serra la main.

– Je vous ai écrit, murmura-t-il. Vous ne m'avez jamais répondu.

Le sergent fronça les sourcils, se toucha le front au-dessus des yeux du bout des doigts, comme s'il souffrait.

– Je suis désolé, Aman, répondit-il, mais je n'ai jamais rien reçu. Le courrier a dû se perdre, je pense, entre une chose et l'autre. Le problème est que je suis allé très souvent à l'hôpital ces dernières années. Quinze opérations en tout. EEI. Une bombe au bord de la route. Le jour où c'est arrivé, Ombre n'était pas avec moi, et c'est bien dommage ! Ça ne se serait jamais produit, si elle avait été là. Depuis ce jour, les médecins ont essayé de me raccommoder. J'ai une nouvelle jambe, et un nouveau bras, aussi. Ils travaillent bien. Mais ils n'ont rien pu faire pour mes yeux. Je ne vois plus rien depuis le jour où c'est arrivé.

Aman recula d'un pas, et je vis qu'il remarquait la canne blanche du sergent pour la première fois.

– Je regrette, dit-il. Je vous en ai voulu pendant tout ce temps parce que vous ne me répondiez pas, je vous ai même détesté, parfois.

– Tu ne pouvais pas savoir, dit le sergent. Ce

n'est la faute de personne, Aman. C'est la faute de la bombe. La faute de la guerre. Et finalement, nous avons quand même fini par nous revoir, non ? « Il faut voir les choses du bon côté, il y a toujours plus malheureux que soi », disait mon grand-père. Et il avait raison. Cela aurait pu être bien pire pour moi – comme cela l'a été pour certains de nos camarades. Quand on m'a ramené au pays, après que j'ai été blessé, alors que j'étais toujours à l'hôpital, j'ai parlé de toi et d'Ombre à Jess, je lui ai tout raconté, et à partir de ce jour-là, elle a décidé d'appeler de nouveau la chienne Ombre. Elle ne pouvait plus être Polly ni pour elle ni pour moi, désormais. Je vois à travers les yeux d'Ombre, à présent, et ça, c'est uniquement grâce à toi, mon garçon.

C'est alors qu'Aman vit sa mère qui poussait le fauteuil roulant d'oncle Mir vers nous, se frayant un passage au milieu de la foule. Il courut aussitôt vers eux. Quelques instants plus tard, en s'accroupissant à côté d'oncle Mir, Aman me regarda et me sourit. Je pris l'étoile d'argent dans ma poche et la lui rendis. Il ne dit rien, ce n'était pas la peine.

Tard, ce soir-là, après la fin de cette grande journée, nous étions rentrés à la maison, grand-père et moi, et nous étions assis tous les deux dans le jardin près de l'arbre de grand-mère. J'étais triste, même si je savais que je n'aurais pas dû l'être.

155

J'étais triste parce que je savais que je venais de vivre le plus beau jour de ma vie, et qu'il n'y en aurait plus jamais de pareil.

Nous avions donné à manger à Dog, qui était couché à mes pieds, comme d'habitude, laissant sa tête peser de tout son poids sur mes orteils. Il avait l'air triste, lui aussi, pensai-je, sa nouvelle amie devait lui manquer.

Et les étoiles étaient là. Elles nous regardaient d'en haut, nous les regardions d'en bas.

– Elles sont merveilleuses, n'est-ce pas, Matt ? dit grand-père. Je trouve que les étoiles sont tout simplement merveilleuses, pas toi ?

– Si, moi aussi, grand-père, répondis-je. Mais si tu veux mon avis, je trouve que les volcans le sont encore plus. Les volcans sont vraiment formidables.

Post-scriptum

Les chiens renifleurs de l'armée

Les springers anglais, comme Ombre, sont fréquemment utilisés comme chiens renifleurs par la police, les services pénitentiaires et les forces armées. Un chien renifleur est dressé de façon à utiliser son flair pour détecter certaines substances, telles que celles qui sont utilisées dans la fabrication d'explosifs, et à signaler leur présence à leur maître-chien. Deux cents chiens, dont les chiens renifleurs, sont ainsi utilisés par l'armée de terre britannique. Ils sont dressés au *Defence Animal Center* (Centre animalier de la Défense) dans le Leicestershire, et à Chypre.

En 2010, Treo, un labrador noir de huit ans, a reçu la médaille Dickin, équivalent pour les animaux de la Croix de Victoria, la plus haute distinction militaire britannique, pour avoir sauvé la vie à plusieurs soldats.

En novembre 2009, Michael Morpurgo a lu un article de journal qui est devenu l'une des sources d'inspiration de son roman *L'Histoire d'Aman*. Cet article relatait l'histoire de Sabi, un labrador noir qui avait travaillé comme chien renifleur pour les Forces spéciales australiennes en Afghanistan. L'année précédente, la chienne avait été portée disparue après une embuscade au cours de laquelle neuf personnes, dont son maître-chien, avaient été blessées. On supposa que Sabi était morte, mais quatorze mois plus tard, on la retrouva vivante et en bonne santé. Elle avait visiblement été bien soignée, et était revenue dans son unité. La personne qui s'était occupée d'elle, et qui avait fini par la rendre, n'a jamais été identifiée. Peut-être – mais peut-être seulement – était-ce un garçon, un peu comme Aman…

Table des matières

Michael Morpurgo

L'auteur

Michael Morpurgo est né en 1943 en Angleterre. Il entre à la Sandhurst Military Academy à dix-huit ans, puis abandonne l'armée, se marie avec Clare Lane, fille du fondateur des Éditions Penguin, et devient professeur. En 1982, il écrit son premier livre, *Cheval de guerre*, qui lance sa carrière d'écrivain et qui est depuis devenu un classique. En 2007, l'ouvrage a fait l'objet d'une adaptation théâtrale au National Theatre de Londres, avec un succès retentissant. En 2011, il a été adapté au cinéma par Steven Spielberg. Michael Morpurgo a signé plus de cent livres, couronnés par de nombreux prix littéraires, dont les prix français Sorcières et Tam-Tam.

Depuis 1976, dans le Devon, Clare et lui ont ouvert trois fermes à des groupes scolaires de quartiers défavorisés pour leur faire découvrir la campagne. Ils y reçoivent chaque année plusieurs centaines d'enfants, et ont été décorés de l'ordre du British Empire pour leurs actions destinées à l'enfance.

En 2006, Michael Morpurgo est devenu officier du même ordre pour services rendus à la littérature. Il est l'un des rares auteurs anglais à avoir été fait chevalier des Arts et des Lettres en France. Il a créé le poste de Children's Laureate, une mission honorifique consacrée à la promotion du livre pour enfants. Michael Morpurgo milite en faveur de la littérature pour la jeunesse à travers tous les médias, mais aussi dans les écoles et les bibliothèques qu'il visite en Grande-Bretagne, en France, et dans le monde entier. Père de trois enfants, il a sept petits-enfants.

En 2018, Michael Morpurgo a été anobli par la reine pour services rendus à la littérature et à l'action humanitaire.

Mise en pages : Didier Gatepaille

Loi n° 49-956 du 16 juillet 1949
sur les publications destinées à la jeunesse
ISBN : 978-2-07-064924-2
Numéro d'édition : 434785
Premier dépôt légal dans la même collection : août 2013
Dépôt légal : février 2022

Imprimé en Espagne par Novoprint (Barcelone)